P9-DLO-947

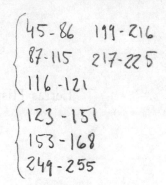

45-86   199-216
87-115   217-225
116-121

123-151
153-168
249-255

Páginas escogidas

Pablo

Letras Hispánicas

Rubén Darío

Páginas escogidas

Edición de Ricardo Gullón

UNDÉCIMA EDICIÓN

CATEDRA

LETRAS HISPANICAS

Ilustración de cubierta: A. Cadiou

Reservados todos los derechos. El contenido de esta obra está protegido por la Ley, que establece penas de prisión y/o multas, además de las correspondientes indemnizaciones por daños y perjuicios, para quienes reprodujeren, plagiaren, distribuyeren o comunicaren públicamente, en todo o en parte, una obra literaria, artística o científica, o su transformación, interpretación o ejecución artística fijada en cualquier tipo de soporte o comunicada a través de cualquier medio, sin la preceptiva autorización.

© Ediciones Cátedra, S. A., 1997
Juan Ignacio Luca de Tena, 15. 28027 Madrid
Depósito legal: M. 26.978-1997
ISBN: 84-376-0184-3
Printed in Spain
Impreso en Closas-Orcoyen, S. L.
Paracuellos de Jarama (Madrid)

Índice

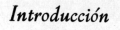

Introducción

Rubén Darío, si no es el iniciador de una época en la literatura de lengua española, sí es quien mejor la representa en su complejidad y en su variedad. La diversidad de tendencias propia de todos los periodos, en pocos fue tan operante como en el llamado «modernista», cuyos límites en el mundo hispánico pueden fijarse con relativa exactitud en 1880 y 1940; límites nada rígidos, pues antes de 1880 se registran signos premonitorios del cambio y pasado 1940 todavía quedan, no ya vestigios, sino prolongaciones y derivaciones del espíritu y las formas del modernismo.

La palabra «modernismo» tiene en nuestra literatura dos acepciones; para unos el modernismo es una escuela literaria (poética, fundamentalmente) de escasa duración; para otros es una época, como el romanticismo o el renacimiento. Aquí utilizaremos la palabra en este sentido. Resumir en pocas líneas las corrientes epocales no es tarea fácil, pero es necesario intentarlo porque no tendría sentido presentar a Rubén Darío fuera del contexto que le hace inteligible. Aun siendo poeta intensamente personal, a pocos se ajustará con más precisión el calificativo un tanto manido de «portavoz de su época»; la concepción del mundo subyacente en su obra fue determinada por el pensamiento y las necesidades (la situación existencial) de los grupos intelectuales más receptivos de entonces.

El modernismo se caracterizó por la repulsa de las convenciones vigentes. Esa repulsa no tuvo sólo carácter artístico: alcanzó las creencias religiosas, la estructura social y las ideologías filosóficas y políticas, convirtiendo en virtud la negación de las doctrinas recibidas. Un vago anarquismo pareció ser inicialmente la ideología, o la anti-ideología, de caracterizados modernistas (aunque no de José Martí), mientras en otros se insinuaba un socialismo más personal que ortodoxo. El catolicismo institucionalizado y al servicio del poder dejó de parecer una religión y quienes perdieron la fe en sus dogmas buscaron en otras direcciones y encontraron consuelo en creencias menos rígidas. La negación de los dogmas fue la primera y más importante característica del modernismo.

La rebeldía contra la sociedad se presentó en formas que no dejan de recordar la situación presente: el uso de drogas, la proclividad al suicidio, el vivir exiliado (en exilio exterior o interior)... En lo literario, la protesta se manifestó en dos direcciones, opuestas en apariencia, de superar la realidad en que se vivía. Una fue dirigida a la idealización y mitificación de lo pasado o indigenismo; otra, encaminada a buscar en lugares distantes —cuanto más alejados y diferentes mejor— lo que en la tierra propia no se encontraba: exotismo.

Por asco de las realidades inmediatas, sórdidas a menudo, malignas con frecuencia, los modernistas se rodearon de altivez. Para defenderse de una sociedad contagiada de materialismo, y de la insolente vulgaridad de los poderosos, se proclamaron baluarte de espiritualidad y hasta «torres de Dios», aunque no estuvieran seguros de quién era Dios ni de dónde se le encontraba. La mesocracia rampante y sus escribas les acusaron de falta de comunicación con el pueblo, erigiéndose en vestales de una democracia del pensamiento que nadie había corrompido tan reiteradamente como ellos.

Anticipando algo de lo que convendría decir sobre el aristocratismo de Darío (aristocratismo intelectual, claro está, expresado decisivamente en el poema de *Cantos de vida y esperanza* que comienza con la famosa imprecación: «¡Torres de Dios! ¡Poetas!») recordaremos que los «excelentes» del poema son los héroes contemporáneos, los poetas, reducto contra la insolencia y la grosería de los llamados «caníbales» —los detentadores de la riqueza y del poder—. Es el poeta quien impone un orden de sublimes correspondencias al caos y, en cierto modo, a la naturaleza. Aristocratismo es sinónimo de moralismo y por eso el esteta pronto se convirtió en moralista. Un paso más (que Rubén no dio) y lo que fue forma de vida, se transformaría en principio de actuación política. Por «desdén de lo vulgar» el poeta siguió su camino «con modestia tan orgullosa, que solamente las espigas comprenden», como dijo en el prólogo a Los raros.

Los intentos de reducir el modernismo a escuela literaria han acabado en el fracaso. Ni fue escuela, ni tuvo programa, ni acción concertada en dirección y con finalidad únicas. Los escritores toman de la época, espontánea o deliberadamente, lo que sirve mejor a su intención, y también actitudes, manierismos y recursos que unas veces proceden de la literatura misma y otras de las artes plásticas y de la música.

PARNASIANISMO Y SIMBOLISMO

Se llamó parnasianos a quienes se esforzaron por lograr la belleza formal buscando lo impecable: una tersura sin mácula, y, para decirlo con el adjetivo que mejor la define, «escultórica»; a los empeñados en expresar lo negado al lenguaje, más deseosos de sugerir que de decir, les llamaron simbolistas. Lo uno no excluye lo otro y así el mismo escritor fue parnasiano a ratos y simbolista a sus horas. Rubén Darío ejemplifica bien la dualidad, que no le escinde, sino le enriquece.

Parnasianismo y simbolismo procedían de Francia, pero las importaciones parisinas no tardaron en traslucir, bajo el marchamo superpuesto, orígenes más variados. Bien estaban Laforgue o Verlaine, pero por caminos indirectos los modernistas enlazaron con una herencia cultural que alguno pensó desdeñable por fijarse más en lo inmediato que en lo distante: en Núñez de Arce y no en San Juan de la Cruz —o en Berceo—. Si se tratara de acumular nombres, sería fácil insertar una extensa nómina de quienes influyeron en el modernismo hispánico, pero no lo haremos, pues la utilidad de esa lista no sería mucha.

Rubén Darío, gran renovador, tenía conciencia de que la renovación exigía conocer a fondo la materia sobre la cual había de producirse: la palabra cargada de significaciones, de reminiscencias y de una tradición literaria que él —como dijo explícitamente— aspiraba a renovar, no a destruir. Su aptitud para la imitación (bien demostrada en los textos de «La poesía castellana», escritos antes de cumplir los veinte años), no le hubiera favorecido de no acompañarla un instrumento verbal extraordinariamente imaginativo.

Empezó a escribir siendo muy joven, y desde junio de 1880 utilizó el pseudónimo con que pronto se hizo famoso, primero en los países centroamericanos, luego en Chile, donde vivió y tuvo amistad con escritores y políticos, se dejó impregnar de preocupaciones e inquietudes estéticas y publicó un libro, *Abrojos* (1887), que declaraba sentimientos entrañables en forma romántica. No era un gran libro, como tampoco lo fue *Primeras notas,* aparecido en Managua en 1888, con un retraso de tres años.

1888 es el año de *Azul* y aquí se registran las vibraciones de la nueva sensibilidad, y no tanto en el verso como en la prosa, que se flexibiliza, musicaliza, y complica con refinamientos y primores insólitos. Prosa rica, recargada a veces, no solamente por la ornamentación verbal, sino por las complicaciones, juegos y destrezas de la narración misma, fluyente de una exigencia estética y a la vez en sí misma un deleite. El verso sigue apegado a lo tradicional; Darío se apresta a soltar amarras, pero no las ha soltado todavía. En la prosa sí; los parnasianos franceses le han empapado de ideología «bella», algo vaga en cuanto a medios, pero inequívoca en las intenciones: crear objetos de belleza pura. Los simbolistas le incitarán a empeño más arduo: constituir en el poema una red de sugerencias en que se superarán las imposibilidades lógicas, convirtiendo en palabra, habla, lo inefable:

fabla-habla. Tal vez es el empeño más propiamente lírico y el que de verdad justifica al poeta como creador.

No todas las prosas de *Azul* fueron leídas como cuentos; desde el punto de vista de la flexibilización del lenguaje, poco importa: lo narrativo se diluye en la gracia verbal, en cadencias suaves que engendran otras y otras, y la delicia de esa invención es en sí tan suficiente que para completarla no hace falta una fábula complicada. No es lícito pensar que la renovación de la prosa es únicamente consecuencia del «galicismo mental» de Darío. La influencia de Martí es clara. Juan Ramón Jiménez, Gabriela Mistral, Manuel Pedro González, Ivan Schulman, Guillermo de Torre y otros la han registrado de modo convincente. Hasta qué punto la prosa de José Martí contribuyó a formar la de Rubén Darío es problema que no puedo abordar aquí; baste decir que en la penúltima década del siglo XIX los artículos de Martí en *La Nación* de Buenos Aires fueron reproducidos por periódicos de Chile que Darío tuvo a su alcance. (Véase Manuel Pedro González: «En el centenario de Rubén Darío», *Atenea,* números 415-16, enero, junio 1967.)

Desde el título, *Azul,* de inequívocas resonancias (Víctor Hugo había escrito: *L'art c'est l'azur),* esta palabra y este color tienen en la poesía dariana significación simbólica múltiple. El escritor chileno Eduardo de la Barra, prologuista de la primera edición, estableció las equivalencias azul-ideal, azul-ensueño, azul-misterio. Todas han de tenerse en cuenta, pues el poeta no pretende que el símbolo sea unívoco, sino capaz de sugerir muchas cosas a la vez. Azul simboliza lo etéreo e ideal, el espacio «donde nacen, viven, brillan y se mueven los astros», como ya entendió don Juan Valera, quien, por cierto, se resistía a aceptarlo como símbolo de lo infinito. En «El velo de la reina Mab» se observará bien la utilización simbólica de lo azul; a uno de los personajes del cuento le ha tocado en suerte «el cielo azul», signo de que es poeta. El ideal «flota en el azul», y azul es el velo de la reina, «velo de los sueños, de los dulces sueños que hacen ver la vida de color de rosa» (que es, por cierto, como el autor quería verla). Y en *Historia de mis libros* dijo: «Encontré en ese color célico la floración espiritual de mi primavera artística.»

PROSAS PROFANAS

Con *Los raros* y *Prosas profanas*, libros publicados en Buenos Aires, 1896, se convirtió Darío en portaestandarte del modernismo. En el primero recogió artículos dedicados (con una excepción) a escritores del siglo XIX, más distinguidos por su rareza que por su calidad. Un crítico severo le salió al paso y Darío replicó con un artículo programático, «Los colores del estandarte», en parte justificación y en parte explicación de sus intenciones. Declaró en él su admiración por Francia con tan alto entusiasmo que llegó a confesar: «Mi sueño era escribir en lengua francesa.» En ese artículo explicó su obra, defendió a los llamados «decadentes» y a «los raros» en general, y expuso sus creencias y algunas de sus ideas. No incluimos estas páginas en la antología porque en *Historia de mis libros* se encuentra, junto con otras cosas, lo esencial de ellas.

En *Prosas profanas* la gracia verbal se convirtió en esplendor. Los poemas van precedidos de unas «Palabras liminares», que rehuyendo presentarse como manifiesto, sirvieron como declaración de principios, personal y no de grupo: «mi literatura es *mía* en mí», dijo con intención de alejar a los imitadores y quizá presintiendo sus estragos. En *Prosas* está todo Rubén: el deslumbrante y el meditabundo; filigranas y abismo, erotismo intenso y conciencia de la muerte. El poeta «exterior», el poeta sensual que vibraba apasionadamente al contacto con la belleza, descubre «El reino interior» donde el alma debate consigo misma.

Al publicar, en 1901, la segunda edición de este libro, incluyó en él una docena de nuevos sonetos. La serie, titulada «Las ánforas de Epicuro», acentúa la tendencia entrañable e interiorizante. Los endecasílabos de

«Ama tu ritmo...» compendian una estética en que platonismo y pitagorismo se dan la mano, y se la dan en lenguaje y sintaxis diferentes de los predominantes. No sólo el poeta siente la unidad y la diversidad del mundo, sino que ese sentimiento se acompasa a una ritmo vital que constituye su justificación y su ley. Con razón se asombra otro poeta, Octavio Paz, de que la crítica no haya analizado más cuidadosamente esas líneas cargadas de sentido, y, pensando en ellas, escribe: «El modernismo se inicia con una estética del ritmo y desemboca en una visión rítmica del universo.»

PITAGORISMO Y OCULTISMO

Sí; así acontece en el modernismo y particularmente en Rubén. Sin salir de *Prosas profanas,* el tránsito es perceptible: lo que comenzó siendo estética, sin dejar de serlo, pasó a ser ética. Esto, creo, es lo que Paz quiere decir. Rubén no tardó en utilizar el ritmo del verso en método para profundizar en los enigmas del ser. Al intentar descifrarlos se perdió en extrañas amalgamas religiosas y filosóficas, y se sintió a la vez aterrado y deslumbrado por sus intuiciones. Creyente en la armonía, tal creencia no le bastó para defenderse de los terrores que le asaltaban. Los recursos de que echó mano para protegerse —el alcohol, sobre todo, y el sexo— resultaron harto frágiles. No le quedó sino la poesía, consuelo supremo y lugar del canto, recinto y palabra donde la armonía podía lograrse y darle la ilusión (por lo menos una ilusión) de que las furias podían ser contenidas y domeñadas.

Los pitagóricos consideraban el número como principio primero del universo y fundamento de la armonía, que consiste en concordar lo discordante, integrándolo en unidad superior; ella ha de ser total y referirse a lo que no vemos tanto como a lo visible: al imponer su regla al universo el ritmo crea la armonía, y cuando hombre

17

y poeta se ajustan a su acción regulada y reiterada, el destino individual se sincroniza con el del cosmos.

Leyendo en orden cronológico la poesía de Rubén Darío se advierte su progresiva tendencia interiorizante y cómo, para él y para los demás, identifica pasión creadora con vocación por la armonía, y al poeta con el alma capaz de descifrar las voces de la sombra:

> ¿Te sientes con la sangre de la celeste raza
> que vida con los números pitagóricos crea?
> ....
> ¿Tu corazón las voces ocultas interpreta?

pregunta a un joven poeta (Juan Ramón Jiménez), en 1900, cuando éste empieza a escribir.

El ocultismo y las doctrinas esotéricas le permitían —o así lo imaginaba— familiarizarse con lo desconocido, con las temerosas tinieblas del más allá. Esto explica, por un lado, poemas como «Lo fatal» y «*Eheu!*», en los cuales expresa el dolor de ser consciente y la pregunta existencial (¿quién soy? ¿de dónde vengo? ¿adónde voy?) sobre el ser, y por otro los versos de «Reencarnaciones» y «Metempsicosis», reveladores de indecisas creencias en la transmigración de las almas y en la reencarnación (creencias inspiradas por las doctrinas pitagóricas). La reencarnación —según es sabido— puede conducir por vía ascendente, como recompensa, a la perfección, y por vía descendente, como castigo, a la animalidad.

La inclinación a interrogarse sobre los misterios del ser y los enigmas de la eternidad fue fomentada por influencia de los románticos y simbolistas, que desde Víctor Hugo en adelante, se complacieron en experimentar y divagar sobre los secretos de la vida y de la muerte y en torno al misterio del universo.

En Rubén Darío, como en muchos de sus coetáneos, se siente una fuerza bifronte que les empuja tanto a la luz como a la sombra. Quisiera sumergirse simultáneamente en la belleza y en la verdad; quisiera saciar su sed en la fuente Castalia, que da juventud a quienes la beben,

18

y se le impone la verdad de que al fin habrá de ingerir la copa llena de sombra. Aguas del Leteo, río de la muerte, que hacen perder la memoria a quienes la beben. ¡Y cómo le horrorizaba la muerte! Entre el amor y la muerte vivió y creó, y de sus obsesiones se nutrió su poesía.

EROTISMO

El gran tema dariano es el amor. Quizá no sobrará exponer una o dos ideas que ayuden a entender el erotismo del poeta, y sus complicaciones. Ese erotismo, conforme se manifiesta en la poesía, no es sólo deseo, sino, más señaladamente, anhelo de trascendencia en el éxtasis. El placer puede implicar pérdida de conciencia, sumersión en abismos donde el alma enajenada, perdida, encuentre algo oscuramente buscado. La sensualidad deja de parecer inocente para sentirse perversa y, en esa perversidad, metafísica.

Escribió Rubén («A un pintor») que el deseo es don diabólico, y en seguida se contradijo y lo declaró divino. Eros es objeto de culto, y poemas como «*Ite, missa est*» tendrán para unos resonancia de plegaria; para otros, de blasfemia. En este soneto describe las prácticas eróticas como ritos (y no sólo metafóricamente), como ceremonias encaminadas a transformar —y a deleitar— a los participantes en ellas. Las bacanales pueden servir como ceremonias de iniciación.

«La negra Dominga» está cargado de sensualidad, por lo que se dice y por cómo se dice, resonantes los adjetivos en un ritmo ondulante y vigoroso equivalente al de las voluptuosas danzas que Dominga bailaba. Después de escribir poemas así, se arrepentía y creía reconocerse en el «cerdo» con quien alguna vez se identificó. El continuo oscilar entre el ángel y la bestia no puede sorprender en quien tan acusadamente registró la multiplicidad del ser. De la lucha interior brotó sorda corriente de hermosura y en ella cristalizaron sombras de su angustia;

pagó un precio elevado por la creación del intenso mundo de su poesía, pero valía la pena. El erotismo suscitador de tanta sombra y tanta ansiedad se convirtió en fuente de energía creadora, precisamente porque le mantuvo en vilo, como inquietud inagotable, contribuyendo a llevarle de una poesía recamada y resplandeciente a una poesía de intimidad y secreto.

Pedro Salinas se dilató con penetrante brillantez en el estudio del erotismo rubendariano. En *Prosas* ese erotismo impregna el volumen entero y le lleva de las gracias y lujos de «Era un aire suave...» al casi sacrílego *«Ite, missa est»*. Amores exóticos, soñados acaso, transfigurados de fijo; amores de novela galante; amores románticos; mitologías... Toda la gama en una orquestación de variaciones seductoras, en las que el primer seducido es el poeta. Amores inventados, claro, aunque de vez en cuando asome en el verso una brizna autobiográfica. Lo personal es el acento (no la fábula, ni siquiera la figura), y la música, que puede serlo, como el autor quería, «de la idea», pero más lo es de las palabras mismas en su caudal riqueza de sonidos y delicias de invención que permiten extraer de la materia chispas y deslumbramientos, combinando asonancias sutiles y consonancias deliberadas con pausas insinuantes y cambios acentuales.

INVENCIÓN VERBAL

Críticos afanosos se encargaron de escudriñar las «fuentes» de Darío. El resultado de sus esfuerzos es interesante y tal vez iluminador, pero no tanto de los poemas mismos como de este hecho que los lectores debieran tener siempre presente: la poesía sólo es de verdad inteligible en el contexto de la poesía misma, y Darío, como puede verse en *Historia de mis libros,* fue el primero en declarar las raíces y enlaces de suya. Cuando se habla de originalidad, es ocioso pensar en la temática; lo que importa es la invención verbal, lo creado por y en la palabra: eso es lo que fue «nuevo en él». El chisporroteo de la invención se hizo llama y las novedades métricas y rítmicas que introdujo en la lengua española sirvieron para lograr tipos de musicalidad refinada, con remotos precedentes unas veces (Berceo), o con semejanzas cercanas (Bécquer y José Martí).

Algunos críticos, como el uruguayo José Enrique Rodó, parecieron defraudados al constatar que la originalidad de Darío no consistía en «americanizar» la poesía. No; su originalidad fue de otro orden: aspiraba a la universalidad y se volvió de espaldas a la retórica de los postrománticos hispanoamericanos. Afirmó el romanticismo trascendiéndolo, yendo más lejos y negando aquello que detestaba: «la vida y el tiempo en que me tocó nacer». Por eso fue exotista e indigenista, llevó a su poesía princesas de ensueño y héroes de antaño, y, antes y sobre todo; quiso ser diferente y renovador en el lenguaje y en el uso del lenguaje. Para él, como para cualquier poeta auténtico, la palabra no era herramienta neutra, medio mostrenco de que uno se sirve, utilizándolo según lo encuentra. Al contrario; sin negar la obvia existencia del lenguaje como producto de un desarrollo y de unas circunstancias que le hacen ser y significar según es, decidió apropiárselo mediante deliberadas infracciones de la norma, escribiendo de otra manera, rehuyendo la carga de significados que la historia le ha dado y esforzándose en crear un lenguaje dentro del lenguaje, un lenguaje personal, tejido con las palabras de todos, pero obediente a un ritmo propio, a una ley interior. Las palabras utilizadas con movimiento y organización distintas de lo corriente dicen otra cosa, tienen otro sentido: al dejar de ser «lugar común» se hacen lugar personal y acaso revolucionario.

Así se explica por qué el lenguaje «distinto» de los modernistas y en especial el de Rubén Darío suscitó la ira de los conservadores: la renovación verbal ponía en peligro la utilidad del lenguaje cotidiano para disimular el conformismo tras las estructuras aceptadas. Quizá ese riesgo no podía concretarse entonces con tanta claridad como ahora, pero el instinto de los anti-modernistas era certero: las vagas doctrinas de Rubén no les alarmaron; sí la violación sistemática de las normas lingüísticas. Al personalizar el lenguaje, disminuían las posibilidades de que fuera utilizado como instrumento uniformador. La invención de un lenguaje es acto revolucionario y no erraron quienes pensaron que la musicalidad del modernismo encubría una amenaza potencial a la sociedad.

Ya sé que no es este aspecto de la renovación dariana el que suele considerarse como decisivo, pues aunque la crítica no dejó de señalar la importancia de los cambios introducidos por el poeta nicaragüense en el lenguaje, por lo general redujo esa importancia a un formalismo intrascendente, esteticista.

El cambio en el lenguaje fue, por de pronto, cambio en las palabras mismas; gustaba Rubén de utilizarlas brillantes y suntuosas, siguiendo en esto a Martí, cuyas mejores prosas refulgen como joyas. Con la poesía de Rubén entran en la corriente del idioma palabras nuevas (sin contar los galicismos, deliberados y numerosos), inventadas o florecidas por el puro deleite de utilizarlas y de hacerlas sonar en un contexto resplandeciente.

«Hipsipila», «liróforo», «nelumbos», «propíleo», «canéforas»... destacan en el verso como adornos lujosos en vestiduras recamadas. Puede pensarse si al escribir «siringa» y no «flauta» no apuntaba, tanto como a la precisión, a suscitar una imagen arcaica o, invirtiendo los términos del planteamiento, si suscitó la imagen para utilizar la palabra insólita en vez de la más común. En el «Responso a Verlaine» ocurren asociaciones inolvidables que impresionan por lo inusitado de los vocablos: «que púberes canéforas te ofrenden el acanto», verso que nos traslada de golpe a los campos de Grecia (a la sonoridad de la línea se asocia una imagen visual). Cuando más abajo suena el nombre «Citeres», nos instalamos imaginativamente en campos transitados por dioses. El Sátiro y el Centauro están en el poema, y tales presencias hablan con elocuencia bastante; por añadidura, los adjetivos «espectral» y «adusto», les caracterizan y personalizan. En «Blasón» se suceden adjetivos de inesperada gracia: «olímpico cisne», «ala eucarística», «casto abanico»; son ejemplos de grata eufonía evocadores de impresiones nuevas. El sonido hace más receptivo al sentido: el cisne de quien se habla es de veras olímpico en su prestancia: su blancura signo de pureza; el ala es casta (por lo que oculta), cuando se despliega *como si* fuera abanico... Estos modos de adjetivación tienen valor de metáfora, aunque estrictamente no lo sean.

La metáfora propiamente dicha implica traslación del sentido recto de las palabras al figurado: las mejillas son rosas; los dientes, perlas... Tiende a comparar para identificar y, más aún, para hacer ver las cosas de otra manera; las imágenes revelan algo que no existía, es decir, que no existía en la forma con que en ellas lo vemos. Toda una escuela crítica piensa que la función de la metáfora consiste en provocar una visión de las cosas que determine en nuestro cerebro asociaciones mentales distintas de las acostumbradas.

La imaginería de Darío se presenta en formas muy ricas: puede escribir un poema que desde el principio hasta el fin sea una metáfora continuada. En el verso inicial de «Margarita» apunta la rememoración de la mujer que quería ser Margarita Gautier, arquetipo romántico de la muerta de amor; así sigue hasta acabar en una línea dictada por el empuje de la metáfora misma, culminación de ella y del equívoco entre la mujer-víctima y la flor deshojada por el viento, que es la muerte.

Sinestesia es la figura retórica que para describir una sensación acude a palabras referentes a sensaciones de otro tipo. Cuando, por ejemplo, se recurre a lo cromático para calificar algo que no tiene color («áureos sonidos», «verso azul», «claros clarines») o se atribuye temperatura a lo que no puede tenerla «cálido coro»), la sinestesia sirve finalidades condensatorias, concentrando en dos palabras referencias a percepciones sensoriales de distinta clase. Si el poeta va más allá, y color, aroma o sabor se extienden al sentimiento («fragancia de melancolía», «melancolía agria»), entra en juego una transferencia de otro tipo, un nuevo matiz perceptivo que proyecta el senti-

23

miento en planos distintos y prepara al lector para entender poéticamente la poesía. (Ruskin llamó patética falacia a la atribución de sentimientos humanos a las fuerzas y objetos de la naturaleza, recurso también utilizado por Darío). En el habla cotidiana las imágenes son constantes y las sinestesias frecuentes («voz cálida», «mirada de hielo»); unas y otras chisporrotean en el verso de Darío. Elogia al rey Óscar de Suecia por el «purpúreo y ardiente vibrar de tu palabra»; a la carne femenina, más sorprendentemente, la exalta así: «si el progreso es de fuego, por ti arde»; a un amigo le pregunta: «¿no oyes caer las gotas de mi melancolía?»...

Las imágenes constituyen la poesía; si son un juego, lo son en la medida en que toda creación artística lo es. Jugar es lo que hace el poeta cuando asocia sonido y sentido, forzando éste a partir de aquél. Unamuno lo dijo: «la palabra te traerá la idea», o sea: la música de la palabra sugerirá el significado. Cuando más arriba escribimos que la dicción poética depende del ritmo, ni siquiera pareció necesario añadir lo que ahora recordaremos por escrúpulo de claridad: el ritmo depende a su vez de la repetición es decir de una estructura verbal regida por el principio de la reiteración. Entre las formas de la repetición las más obvias (por cómo saltan a la vista) son el metro y la estrofa.

El verso de Darío es, por lo general, y desde luego en los ejemplos de esta antología, métrico, sujeto a medida en cuanto al número de sílabas que compone cada línea. A diferencia de la lengua inglesa, en la española no suele distinguirse entre sílabas largas y breves —todas tienen la misma duración, aunque no el mismo valor métrico—. Si el verso acaba en palabra llana, el número de sílabas gramaticales es el mismo que el de sílabas métricas; si acaba en palabra aguda, será preciso añadir una sílaba a la cuenta métrica, y si la palabra final es esdrújula, se restará a la cuenta una sílaba. Ello se debe a que el acento estabiliza, prolonga o reduce el ritmo del verso.

Rubén Darío pensó, o mejor dicho percibió una diferencia en la longitud silábica, e intentó algunos tipos de versificación partiendo del supuesto de esa diferencia. Éste no es lugar para debatir cuestión tan ardua. Contentémonos con señalar que Darío practicó casi todas las formas métricas imaginables en nuestra lengua. Don Tomás Navarro Tomás, tras estudiar minuciosamente los tipos de versificación empleados por el poeta, encontró en su obra 37 metros diferentes combinados en no menos de 136 clases de estrofas. Ejemplo expresivo de la riqueza métrica, dentro de la riqueza estrófica, el de los sonetos darianos, en los cuales encontró don Tomás hasta trece metros diferentes, con longitudes que oscilan entre las 17 y las seis sílabas.

Después de Rubén fue acentuándose la tendencia a prescindir de otro tipo de reiteración, en él constante: la rima o coincidencia de sonidos, al final de los versos; si esa coincidencia se da dentro de ellos, recibe el nombre de rima interna. La rima puede ser consonante, si la coincidencia sonora es completa (es decir, con identidad silábica al final de la palabra), o asonante, si la coincidencia se limita a los sonidos vocálicos.

La repetición de palabras con análogos sonidos iniciales se llama aliteración. Ejemplo precioso es éste: «la regia y pomposa rosa Pompadour». En estas últimas palabras el efecto de la aliteración se mezcla con el de la onomatopeya directa («tic-tac, tic-tac», para sugerir la medida del tiempo en el reloj) o indirecta («el cerrar de una puerta, el resonar de un coche/... en donde el ruido»). El sonido de las palabras sugiere la acción.

CONSOLACIÓN POR LA POESÍA

Cuando en 1905 aparecieron los *Cantos de vida y esperanza* la poesía de Darío dio un paso decisivo hacia la historia. De lo primero hablaremos en seguida. En cuanto al compromiso histórico, la toma de partido se manifiesta sin sombras: la guerra de 1898 entre Estados Unidos y España, y sus resultados (Puerto Rico, Filipinas y Guam sometidos a Estados Unidos, y Cuba, independiente de nombre, pero en realidad convertida en satélite norteamericano), determinaron en la intelectualidad hispanoamericana una reacción favorable a España y hostil al imperialismo anglosajón. Esa reacción tuvo especial resonancia en Buenos Aires, donde entonces vivía Darío, y él la prolongó en «El triunfo de Calibán», uno de sus buenos artículos políticos.

Los *Cantos* son su libro más hispánico, pues sobre declarar su amor a Nicaragua, donde naciera, y a la Argentina, donde viviera años memorables, la reivindicación de lo español se manifiesta en poemas de esperanza como «La salutación del optimista» y «Al rey Óscar», y en cantos de protesta como la oda «A Roosevelt». La visión dariana de la lucha entre Estados Unidos y los pueblos hispánicos es la de una lucha simbólica entre el materialismo y el espiritualismo, entre Calibán y Ariel, los personajes de *A Midsummer Night's Dream*. Los versos dedicados a Roosevelt (a Theodore, el insolente y rudo propugnador y practicante de la política del *big stick)* me parecen los mejores entre los «políticos» de Darío, y no, como ha solido afirmarse, por su evidente sinceridad, sino porque lengua y ritmo alcanzan una plenitud de expresión que culmina en la línea final, construida en tal forma que la última palabra del poema sea «Dios», a quien el poeta consideraba, no sin candor, aliado de la espiritualidad hispánica.

De *Prosas profanas* a *Cantos de vida y esperanza* el cambio es sobre todo tonal: un tono diferente, no ya preocupado sino angustiado. Ese tono se mantendrá en *El canto errante* y en algunos poemas ulteriores. En *Cantos* todo se transforma, hasta la carne de la mujer, que en las metáforas se declara a la vez arcilla y pan divino, néctar y eternidad —o fuente de eternidad—. Negados los límites del lenguaje, la carne puede ser cosa «celeste» y desde luego vía segura para eternizar lo momentáneo. En «Carne, celeste carne de la mujer», el erotismo apunta a la eternidad, y para quien ha visto desnuda a Venus «el espacio se llena/ de un gran temblor de oro». El lenguaje trae la metáfora y con ella la idea. El valor de creer en la palabra y de afirmarse en ella le permitió ver de otra manera y entender la grandeza de una atracción que situado en el terreno del tópico (en la idea del «pecado») no hubiera podido sino condenar.

El tono angustiado alcanza en «*Spes*» su nivel más alto y a la vez el contrapunto consolador de la esperanza: «sañudo infierno», «espantoso horror», «agonía», «culpa nefanda» dan el tono, así como las líneas finales lo compensan sugiriendo la posibilidad de la resurrección a una vida sin terrores. Si lo que le aterra es el misterio (y bien puede verse en los poemas dedicados a «Los cisnes»), lo que hace operante y real ese terror es su encuadramiento en el tejido verbal que lo expresa.

Éste es el lugar del canto, en donde los terrores cristalizan, y al mismo tiempo lo que consiente trascenderlos. «Al fantasma se le mata con su nombre», dijo Juan Ramón Jiménez, y Darío se había anticipado a esta máxima, practicándola, y salvándose en la palabra. Lo que en el sentimiento era oscuro, en el poema quedaba claro; lo indeciso se precisaba, transfigurándose para eternizarse. En la palabra poética el terror dejaba de ser terror y por su transformación en objeto de belleza producía en quien lo había creado una confortante sensación de calma y de seguridad. Por su virtud catártica, la creación fue consuelo y vía de salvación para Rubén: gracias a ella pudo encontrarse tan hermosamente en los laberintos del alma.

SÍMBOLOS Y MITOS

El símbolo es quizá el mejor medio de hacer tangible el misterio; si su función consiste, como San Juan de la Cruz creía, en expresarlo «en extrañas figuras y semejanzas», lo que no pueda decirse con los instrumentos de la comunicación lógica podrá, gracias al símbolo, representarse y hacerse inteligible. No sorprenderá comprobar que las realidades representadas parezcan ambiguas, ni esa ambigüedad sentará mal a la poesía. En esencia, el símbolo es una imagen que se prolonga y ensancha hasta sustituir el significado literal de la realidad por el potencial que la imaginación pone en ella.

Los símbolos favoritos de Darío fueron lo (o el) azul y el cisne. Es natural que cada poeta se sienta atraído con preferencia por los símbolos en que mejor encarnan sus obsesiones y que, por tanto, sirven más adecuadamente sus necesidades. De lo que podía significar lo azul, escribimos más arriba; ahora diremos algo sobre el cisne, pájaro alegórico del modernismo, a quien algunos tomaron como emblema de indiferencia y hasta de altanería.

En un precioso ensayo, Pedro Salinas precisó algunos posibles significados del ave prestigiosa: símbolo del poeta en Vigny, del desterrado en Baudelaire, del cautivo en Mallarmé. Darío, dijo Salinas, «casi llega a una teoría del cisne y de lo císnico». Es cierto, y en sus libros lo encontramos no sólo bello sino misterioso. Boga enigmático en *Azul* y con más frecuencia en *Prosas profanas,* uno de cuyos sonetos resume la multiplicidad del símbolo, pero antes y sobre todo (dejando a un lado menciones dispersas), en ese libro está «Blasón», y allí alusiones mitológicas, equivalencias insinuadas, contribuyen a la creación de un ser tan bello que casi sólo en sueños puede existir.

En la serie «Los cisnes», de *Cantos,* reaparece con nuevos tornasoles. ¿Símbolo del aristocratismo a que Rubén aspiraba? ¿Símbolo de la belleza pura, o símbolo de la lujuria? Anderson Imbert ha recordado que «Darío va tomando del cisne las notas que en cada ocasión le sirven mejor: elegancia, pureza, hermosura, optimismo, ensueño, sensualidad, blancor, mística inocencia, aristocrático retraimiento, aspiración al ideal, canto agónico. A ratos sus símbolos son inesperados: el cisne como confianza en el futuro de la cultura hispánica, el cisne como signo de una interrogación metafísica.» Las contradicciones no deben chocarnos. Una imagen puede desempeñar funciones simbólicas diferentes, según el contexto. Al final de *Prosas profanas* «el cuello del gran cisne blanco» traza una curva que es una pregunta incontestada. Sin contestar queda, y cuando en *Cantos* le vemos navegar otra vez, desfilando impasible ante el poeta, su cuello sigue formulando las preguntas de siempre.

Tras las evocaciones darianas, identificamos sin esfuerzo referencias mitológicas: la de Leda, poseída por Júpiter, metamorfoseado en cisne, o la de Lohengrin en su nave de plumas que el cisne arrastra. En la primera, el Dios-cisne y la Bella engendran la hermosura —Helena— por quien lucharán los hombres; en la segunda el pájaro sagrado transporta al héroe a la eternidad.

La mitología se da de alta en los poemas de Darío, como en los de otros modernistas, y su función me parece claramente exotista. Cuando se recuerda que los poetas del Barroco se complacían en los mitologismos tanto como los modernistas y se pretende hallar en aquellos un precedente de éstos, se olvida que la función desempeñada por el mito en las obras de unos y otros es diferente, y que, en consecuencia, cambia lo que Lévi-Strauss llama «dinámica estructural». En el pasado se hablaba al lector de hechos y creencias con los que estaba familiarizado, que de alguna manera se habían incorporado a su ser y determinado su sensibilidad. El lector de Rubén no siente ya la realidad del mito clásico, sino su lejanía, y lo recibe como símbolo exótico y exquisito. Orfeo y Anfión, Pomona y Juno, el Minotauro y la Medusa eran para el lector finisecular nombres vagamente asociados a sucesos y escenarios remotos: su misma vaguedad contribuía a crear el deseado efecto de alejamiento y distancia.

Los mitos predominantes en la poesía dariana son los de la tradición greco-romana, pero no faltan algunos de tipo indigenista y otros tomados de la Biblia, ni los que pudieran llamarse creación personal del poeta y consecuencia de su preferencia por lo francés. Versalles fue inicialmente un símbolo (de belleza, de gracia ligera, «alada») que por la reiteración con que se le utilizó acabó convirtiéndose en mito. La utilización de la mitología no solamente contribuye a ensanchar el espacio del poema, sino a transformar la experiencia que en él se crea, al proyectarlo hacia realidades que no son las cotidianas.

Cuatro volúmenes de más de mil páginas cada uno ocupa la prosa de Rubén Darío en la edición Aguado de *Obras completas,* donde no se incluye, ni mucho menos, toda la que escribió el autor. Ni toda es valiosa, ni toda obra de quien la firmó. Sabemos que Amado Nervo, Alejandro Sawa y otros escribieron varias de las crónicas publicadas por Rubén en *La Nación* de Buenos Aires. Si esto obliga a proceder con cautela en la atribución de ciertas páginas, no es posible olviidar que, como dijimos al comienzo, la renovación dariana empezó por la prosa: por los cuentos de *Azul,* que no sólo son diferentes de lo anterior en cuanto a técnica y léxico, sino que plantean con nuevos matices el tema romántico de la lucha del hombre contra la sociedad, bien entendido que el «hombre» será en estos ejemplos «el artista». El poeta está en esos cuentos como personaje y como autor. El lirismo —advirtió Raimundo Lida— irrumpe súbitamente y por esa irrupción «el movimiento de la narración llega a detenerse en súbito remanso» y «aun a desviarse tras el esplendor de ciertas imágenes». (*Letras Hispánicas,* Méjico, 1958.)

La irrupción del lirismo es, pues, lo que impone el ritmo lento de la prosa y el tono de la narración, a menudo ingenuo, deliberadamente ingenuo. Estos cuentos, por el tono y por la delicadeza recuerdan las narraciones de Gustavo Adolfo Bécquer; por la gracia verbal dan testimonio de una creación en que palabra y forma no están supeditadas al tema: más bien lo suscitan. «El velo de la reina Mab» es una parábola presentada a través de cuatro voces concordantes: primero, en la lamentación y el desaliento; luego, en la esperanza ilusianada. En conjunto, es un ejercicio de estilo apoyado en el cambio de tono; la intervención de la reina tiene lugar para justificar ese cambio. «La muerte de la emperatriz de la China» es la descripción simbólica del conflicto permanente entre arte y vida; la fábula, puro pretexto, concebido, no sin alguna travesura, para describir el antagonismo de las fuerzas que se disputan el sentimiento del artista, encarnándolas en Suzette y en la figurita de porcelana que se enfrentan como personificaciones de lo vital y lo estético.

El tercero de los cuentos incluidos en esta selección es posterior (1894) y diferente en factura y en tono; pertenece a la serie relativamente numerosa de cuentos fantásticos escritos por Rubén cuando le acosaba el deseo de perderse en los andurriales del misterio. «El caso de la señorita Amelia» plantea un enigma. Lo plantea, no lo resuelve. A diferencia de otros cuentos, como «La extraña muerte de Fray Pedro», donde la moraleja es evidente (quien pretende desvelar los últimos misterios de la religión es culpable y debe morir), en la historia de la señorita Amelia el desenlace ni disipa las dudas ni sugiere una explicación de lo inexplicable. La iniciación dariana en la Teosofía, a la que ya nos referimos, había acontecido cuatro años antes de escribir ese cuento, y esa iniciación le acercó a problemas como el de la muchacha que por su voluntad, o sin ella, ha conseguido detener el tiempo. Milagro o misterio (como en el cuento mismo se dice), la Teosofía acabará aclarándolo. En cuentos de Darío no incluidos aquí, el terror se impone al misterio, o acaso se funde con él. En general los cuentos «extraños» son inferiores y menos personales que los otros. Escritores como Leopoldo Lugones y Horacio Quiroga, por ejemplo, le superaron en esto.

Suele pensarse que los modernistas, y en concreto Darío, fueron insensibles a las realidades en que estaban inmersos. Tal opinión no resiste el análisis más ligero: para mostrar la preocupación social de nuestro poeta figura aquí el último de los cuentos seleccionados: «El fardo», texto de clara estirpe naturalista en que se refiere un suceso, un accidente del trabajo que le fue contado al autor en sus tiempos de Valparaíso.

En cuanto a la prosa no narrativa, escribió Darío libros interesantísimos, indispensables para historiar la literatura de nuestra lengua. De ellos hemos seleccionado las crónicas que publicó primero en *La Nación* de Buenos Aires y reunió después bajo el título de *Historia de mis libros:* nos parecieron las más adecuadas para aclarar la idea que el poeta tenía de su obra y para explicar la génesis de ella. Escogimos también las páginas de autobiografía por mostrar cómo recordaba y cómo sentía algunos momentos de su vida. Por último, y para dar idea del Darío más periodístico escogimos los artículos «Semana Santa» y «Toros», estampas reveladoras de su visión un tanto convencional de la España pintoresca que había servido de tema a las divagaciones viajeras de los románticos franceses.

Cronología

1867   Nace en Metapa, Nicaragua, el 18 de enero.
Padres: Rosa Sarmiento y Manuel García.

1869   Es adoptado por el coronel Félix Ramírez Madregil y su esposa Bernarda Sarmiento.

1870   Escuela de primeras letras de Jacoba Tellería.
Infancia influida por los cuentos de miedo que le dice la chacha Serapia.

1880   Primera publicación: el 28 de junio, versos en *El Termómetro* (Rivas, Nicaragua).

1881   En el acto inaugural del Ateneo en León, lee sus poesías.

1882   Viaje a El Salvador: profesor de Gramática en el Instituto secundario. Amistad con Francisco Gavidia.

1886   24 de junio: desembarca en Valparaíso, Chile.
Agosto: traslado a Santiago y amistad con Pedro Balmaceda Toro, hijo del presidente de la República.

1887   Regreso a Valparaíso con el destino de inspector de aduanas. Aparece *Abrojos* en Santiago de Chile.

1888   Publicación de *Azul,* en Valparaíso: «Al penetrar en ciertos secretos de armonía, de matiz, de sugestión que hay en la lengua de Francia, fue mi pensamiento descubrirlo en el español o aplicarlo. La sonoridad oratoria, los cobres castellanos, sus

33

fogosidades, ¿por qué no podrían adquirir las notas intermedias, revestir las ideas indecisas en que el alma tiende a manifestarse con mayor frecuencia?»

1889   Febrero: comienza su colaboración en *La Nación* de Buenos Aires. Estancia en Nicaragua y El Salvador.

1890   Biografía de Pedro Balmaceda: *A. de Gilbert.*
21 de junio: matrimonio con Rafaela Contreras, «Stella». 22 de junio: asesinato del general Menéndez, presidente de El Salvador y protector de Darío, que se ve obligado a dejar el país. 30 de junio: llegada a Guatemala.
Pacta con un amigo teósofo que el primero en fallecer se presentaría al otro y le revelaría los misterios del más allá. 20 de octubre: segunda edición de *Azul,* en Guatemala.

1891   11 de febrero: matrimonio religioso con Rafaela en la Catedral de Guatemala.
Agosto: traslado a Costa Rica.

1892   Nacimiento de Rubén Darío Contreras en San José.
15 de mayo: regreso a Guatemala, dejando en Costa Rica a su mujer y a su hijo.
Junio: viaje a España como delegado de Nicaragua a las fiestas del cuarto centenario del descubrimiento de América. Madrid: conoce a Castelar, Zorrilla, Campoamor, Núñez de Arce...

1893   26 de enero: Rafaela Contreras fallece en El Salvador.
Marzo: matrimonio con Rosario Murillo (forzado por el hermano de ésta, Andrés Murillo).
Viaje a Nueva York donde encuentra a José Martí que al verle le llama: « ¡hijo! »
Viaje a París donde ve a Paul Verlaine: «Quién sabe qué habría pasado al desventurado maestro; el caso es que volviéndose a mí, y sin cesar de golpear la mesa, me dijo en voz baja y pectoral:

La gloire!... La gloire!... Merde, merde encore!»
Agosto: llegada a Buenos Aires. Entusiasmo:

> ¡Argentina, región de la aurora!
> ¡Oh tierra abierta al sediento
> de libertad y de vida,
> dinámica y creadora!

Amistades argentinas: Rafael Obligado, Ingenieros, Lugones, Jaimes Freyre...

1895 5 de mayo: muerte de su madre.

1896 Publicación en Buenos Aires de *Los raros* y *Prosas profanas*. «En verdad, vivo de poesía. Mi ilusión tiene una magnificencia salomónica. Amo la hermosura, el poder, la gracia, el dinero, el lujo, los besos y la música. No soy más que un hombre de arte. No sirvo para otra cosa. Creo en Dios, me atrae el misterio; me abisman el ensueño y la muerte; he leído muchos filósofos y no sé una palabra de filosofía. Tengo sí, un epicurismo a manera: gocen todo lo posible el alma y el cuerpo sobre la tierra, y hágase lo posible para seguir gozando en la otra vida.»

1898 Viaje a España, como corresponsal de *La Nación* de Buenos Aires para informar de la situación del país después de la derrota en la guerra con Estados Unidos.

1899 Llega a Madrid: «Acaba de suceder el más espantoso de los desastres; pocos días han pasado desde que en París se firmó el tratado humillante en que la mandíbula del yanqui quedó por el momento satisfecha después del bocado estupendo [Cuba, Filipinas, y Puerto Rico]: pues aquí podría decirse que la caída no tuviera resonancias. [...] No está, por cierto, España para literaturas, amputada, doliente, vencida; pero los políticos del día parece que para nada se dieran cuenta del menoscabo sufrido y agotan sus energías en chicanas interiores, en batallas de grupos aislados, en asuntos parciales de partidos, sin preocuparse de la suerte común, sin buscar el remedio al daño general, a las heridas en carne de la nación. No se sabe lo que puede venir.»

Nuevas amistades: Jacinto Benavente, Francisco Villaespesa, Ramón del Valle Inclán...

1900   Mayo: conoce en la Casa de Campo a Francisca Sánchez, con quien en lo sucesivo vivirá maritalmente.

París. Italia.

1901   Publicación en París de la segunda edición, muy aumentada, de *Prosas profanas* y de la primera de *Peregrinaciones*.

Mientras Rubén viaja por Andalucía, en marzo, Francisca Sánchez da a luz a una niña, Carmen, que muy pronto muere de viruelas.

1903   Nace el segundo hijo de Francisca y Rubén, a quien éste llama «Phocas»:

> Sueña, hijo mío, todavía; y cuando crezcas,
> perdóname el fatal don de darte la vida,
> que yo hubiera querido de azul y rosas frescas.

1904   Viajes por Europa.

Se agudiza el alcoholismo de Rubén Darío.

Junio: muerte de «Phocas», de bronconeumonía.

1905   Aparece en Madrid *Cantos de vida y esperanza,* al cuidado de Juan Ramón Jiménez.

1907   Mallorca: empieza la novela (nunca conclusa) *La isla de oro.* Huyendo de Rosario Murillo que ha llegado a París se refugia en la provincia francesa. En Brest acude a entrevistarse con ella: «La *famosa perseguidora* vino a Brest. Lo supe y fui yo a saludarla. Corté corto, como dicen los franceses. Le hablé claro. Le dije todo lo que ya ella sabía. Le quité toda esperanza. Le ofrecí de nuevo la pensión que rehusó y hasta le di un beso de absoluta despedida. No sé más de ella.»

Viaje a Nicaragua, donde intenta divorciarse de

Rosario: «Ojalá que en Nicaragua pueda yo definir de una vez mi vida. Ya tengo cuarenta y un años y he luchado y sufrido mucho.»

Se publica en Madrid *El canto errante*.

Octubre: nacimiento de Rubén Darío Sánchez, *Güicho*.

1908-
1909   Ministro de Nicaragua en España.

1910   Publicación en Madrid de *Poema del otoño y otros poemas*.

Viaje a Méjico como enviado a las fiestas del Centenario de la Independencia. Durante la travesía de Saint Nazaire a La Coruña estalla la revolución en Nicaragua y derriban al gobierno que él representa. Una vez en Méjico, no le dejan pasar de Veracruz y Jalapa: «¡mi viaje a Méjico, qué Odisea!»

1911   Director de la revista *Mundial*, en París.

1912   De abril a noviembre viaje publicitario de la revista por España y América: «Voy, desde luego, explotado. Explotado con mucho dinero, pero explotado.»

1913   Mallorca. Su salud es cada día más precaria, a consecuencia sobre todo de los abusos alcohólicos: «El estado moral o cerebral mío, es tal que me veo en una soledad abrumadora sobre el mundo. Todo el mundo tiene una patria, una familia, un pariente, algo que le toque de cerca y le consuele. Yo, nada. Tenía esa pobre mujer —y mi vida, por culpa mía, de ella, de la suerte, era un infierno—. Y ahora, la soledad. Apenas el trabajo logra por momentos, quitarme la dura preocupación. ¡Mi misma fe es tan a tientas! Sea lo que Dios tenga dispuesto.»

1914   Octubre: seducido por las promesas de un turbio personaje, Alejandro Bermúdez, embarca para Estados Unidos, con propósito de dar una serie de conferencias. Su falta de salud se lo impide. Debilitamiento físico y mental cada vez más agudo.

1915 En Guatemala, adonde va atraído con la esperan-
      za de que el dictador Estrada Cabrera le ayude,
      queda virtualmente prisionero de éste y es obliga-
      do a escribir poemas laudatorios en su honor. Ro-
      sario Murillo, aprovechándose de su debilidad lo
      lleva a Nicaragua, donde empeora.
      Cirrosis hepática.
1916 Fallece en León, Nicaragua, el 16 de febrero.

Bibliografía selecta

PRIMERAS EDICIONES DE SUS OBRAS

Azul... Valparaíso, Imprenta Excelsior, 1888.
Prosas profanas y Otros Poemas. Buenos Aires, Imprenta de Pablo Coni e Hijos, 1896.
Los Raros. Ensayos de crítica. Buenos Aires, Tipografía Varsovia, 1896.
España Contemporánea. Crónicas y retratos literarios. París. Ed. Garnier, 1901.
Peregrinaciones. Cuadros de viaje. París, Vda. de Ch. Bouret, 1901.
La Caravana Pasa. París, Garnier, 1903.
Tierras Solares. Estampas de viaje. 1904.
Cantos de Vida y Esperanza. Madrid, Tipografía de la Revista de Archivos, Bibliotecas y Museos, 1905.
Opiniones. Madrid, Fernando Fe, 1906.
Oda a Mitre. París.
El Canto Errante. Madrid. Editorial Pérez Villavicencio, 1907.
Poema del Otoño y Otros Poemas. Madrid.
Canto a la Argentina. Buenos Aires, «La Nación», 1910.
Canto a la Argentina y Otros Poemas. Madrid, Biblioteca Corona, 1914.
La vida de Rubén Darío contada por él mismo. Barcelona, Maucci, 1924.

Alfonso XIII. Madrid, Hernández y Galo Sáez, S. A., 1921.

Epistolario de Rubén Darío. Prólogo de Alberto Ghiraldo. Biblioteca Rubén Darío, I, Madrid, Imprenta Galo Sáez, 1926.

Estudios

ÁLVAREZ, Dictino, *Cartas de Rubén Darío.* Madrid, Taurus, 1963, 240 págs.

ANDERSON-IMBERT, Enrique, *La originalidad de Rubén Darío.* Buenos Aires, CEDAL, 1967, 296 págs.

BALSEIRO, José A., *Seis estudios sobre Rubén Darío.* Madrid, Gredos, 1967, 156 págs.

CAPDEVILA, Arturo, *Rubén Darío, «Un bardo rei».* Buenos Aires, Austral, 1946, 166 págs.

CARILLA, Emilio, *Una etapa decisiva de Darío.* Madrid, Gredos, 1967, 200 págs.

GARCIASOL, Ramón de, *Lección de Rubén Darío.* Madrid, Taurus, 1960, 200 págs.

GHIANO, Juan Carlos, *Rubén Darío.* Buenos Aires, CEDAL, 1967, 120 págs.

— *Análisis de «Cantos de vida y esperanza».* Buenos Aires, CEDAL, 1968, 64 págs.

— *Análisis de «Prosas profanas».* Buenos Aires, CEDAL, 1968, 64 págs.

GHIRALDO, Alberto, *El archivo de Rubén Darío.* Buenos Aires, Losada, 1943, 510 págs.

GONZÁLEZ OLMEDILLA, Juan, *La ofrenda de España a Rubén Darío.* Madrid, Ed. América, 1916, 268 págs.

LÓPEZ ESTRADA, Francisco, *Rubén Darío y la Edad Media.* Madrid, Planeta, 1971, 184 págs.

LOVELUCK, Juan (ed), *Diez estudios sobre Rubén Darío.* Santiago de Chile, Ziz-zag, 1967, 320 págs.

LUGONES, Leopoldo, *Rubén Darío*. Buenos Aires, Selecta América, 1919.

MAPES, E. K., *L'influence française dans l'oeuvre de Rubén Darío*. París, Champion, 1925, 184 págs.

MARASSO, Arturo, *Rubén Darío y su creación poética*. Universidad de La Plata, Biblioteca Humanidades, 1934, 410 págs.

MEJÍA SÁNCHEZ, Ernesto, *Estudios sobre Rubén Darío*. Méjico, Fondo de Cultura, 1968, 632 págs.

OLIVER BELMÁS, Antonio, *Este Rubén Darío*. Barcelona, Aedos, 1960, 476 págs.

PAZ, Octavio, *Cuadrivio*. Méjico, Joaquín Mortiz, 1965, 208 páginas.

QUINTIAN, Andrés R., *Cultura y literatura española en Rubén Darío*. Madrid, Gredos, 1974, 302 págs.

RAMA, Ángel, *Rubén Darío. El mundo de los sueños*. San Juan de Puerto Rico, Editorial Universitaria, 1973, 240 págs.

SALINAS, Pedro, *La poesía de Rubén Darío*. Buenos Aires, Losada, 1948, 294 págs.

SCHULMAN, Ivan A., y GONZÁLEZ, Manuel Pedro, *Martí, Darío y el modernismo*. Madrid, Gredos, 1969, 280 páginas.

SILVA CASTRO, Raúl, *Rubén Darío a los veinte años*. Madrid, Gredos, 1956, 296 págs.

TORRE, Guillermo de, *Vigencia a Rubén Darío y a otras páginas*. Madrid, Guadarrama, 1969, 216 págs.

TORRES, Edelberto, *La dramática vida de Rubén Darío*. Guatemala, Ministerio de Educación, 1952, 464 págs.

TORRES BODET, Jaime, *Rubén Darío, Abismo y cima*. Méjico, Fondo de Cultura, 1966, 364 págs.

TORRES-RIOSECO, Arturo, *Vida y poesía de Rubén Darío*. Buenos Aires, Emecé, 1944, 352 págs.

UNIVERSIDAD DE LA PLATA (ed.), *Rubén Darío (Estudios en conmemoración del Centenario)*. La Plata, Facultad de Humanidades, 1968, 528 págs.

WATLAND, Charles D., *La formación de Rubén Darío*. Managua, Publicaciones del Centenario, 1966, 192 páginas.

YCAZA TIJERINO, Julio, *Los nocturnos de Rubén Darío*. Managua, Imprenta Granada, 1954, 58 págs.

Números especiales dedicados al poeta con ocasión de su centenario por las revistas: *Asomante, Atenea, Cuadernos Hispanoamericanos, Ínsula, La Torre, Papeles de Son Armadans, Revista Iberoamericana.*

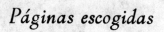

Páginas escogidas

Azul

dusk

Estival

I

La tigre de Bengala
con su lustrosa piel manchada a trechos,
está alegre y gentil, está de gala.
Salta de los repechos
de un ribazo, al tupido
carrizal de un bambú; luego a la roca
que se yergue a la entrada de su gruta.
Allí lanza un rugido,
se agita como loca
y eriza de placer su piel hirsuta.

La fiera virgen ama.
Es el mes del ardor. Parece el suelo
rescoldo; y en el cielo
el sol, inmensa llama.
Por el ramaje obscuro
salta huyendo el kanguro.
El boa se infla, duerme, se calienta
a la tórrida lumbre;
el pájaro se sienta
a reposar sobre la verde cumbre.

Siéntense vahos de horno:
y la selva indiana
en alas del bochorno,

47

lanza, bajo el sereno
cielo, un soplo de sí. La tigre ufana
respira a pulmón lleno,
y al verse hermosa, altiva, soberana,
le late el corazón, se le hincha el seno.

Contempla su gran zarpa, en ella la uña
de marfil; luego toca
el filo de una roca,
y prueba y lo rasguña.
Mírase luego el flanco
que azota con el rabo puntiagudo
de color negro y blanco,
y móvil y felpudo;
luego el vientre. En seguida
abre las anchas fauces, altanera
como reina que exige vasallaje;
después husmea, busca, va. La fiera
exhala algo a manera
de un suspiro salvaje.
Un rugido callado
escuchó. Con presteza
volvió la vista de uno y otro lado.
Y chispeó su ojo verde y dilatado
cuando miró de un tigre la cabeza
surgir sobre la cima de un collado.
El tigre se acercaba.
                          Era muy bello.
Gigantesca la talla, el pelo fino,
apretado el ijar, robusto el cuello,
era un Don Juan felino
en el bosque. Anda a trancos
callados; ve a la tigre inquieta, sola,
y le muestra los blancos
dientes; y luego arbola
con donaire la cola.
Al caminar se vía
su cuerpo ondear, con garbo y bizarría.
Se miraban los músculos hinchados

48

debajo de la piel. Y se diría
ser aquella alimaña
un rudo gladiador de la montaña.
Los pelos erizados
del labio relamía. Cuando andaba,
con su peso chafaba
la yerba verde y muelle,
y el ruido de su aliento semejaba
el resollar de un fuelle.
Él es, él es el rey. Cetro de oro
no, sino la ancha garra,
que se hinca recia en el testuz del toro
y las carnes desgarra.
La negra águila enorme, de pupilas
de fuego y corvo pico relumbrante,
tiene a Aquilón [1], las hondas y tranquilas
aguas, el gran caimán, el elefante,
la cañada y la estepa;
la víbora, los juncos por do trepa;
y su caliente nido,
del árbol suspendido,
el ave dulce y tierna
que ama la primer luz.

                Él la caverna. ←

    No envidia al león la crin, ni al potro rudo
el casco, ni al membrudo
hipopótamo el lomo corpulento,
quien bajo los ramajes del copudo
baobad, ruge al viento.

    Así va el orgulloso, llega, halaga;
corresponde la tigre que le espera,
y con caricias las caricias paga,
en su salvaje ardor, la carnicera.

    Después, el misterioso
tacto, las impulsivas

---

[1] *Aquilón:* viento del Norte.

fuerzas que arrastran con poder pasmoso;
y ¡oh gran Pan!, el idilio monstrüoso
bajo las vastas selvas primitivas.
No el de las musas de las blandas horas
süaves, expresivas,
en las rientes auroras
y las azules noches pensativas;
sino el que todo enciende, anima, exalta,
polen, savia, calor, nervio, corteza,
y en torrentes de vida brota y salta
del seno de la gran Naturaleza.

II

El príncipe de Gales [2] va de caza
por bosques y por cerros,
con su gran servidumbre y con sus perros
de la más fina raza.

Acallando el tropel de los vasallos,
deteniendo traíllas y caballos,
con la mirada inquieta,
contempla a los dos tigres, de la gruta
a la entrada. Requiere la escopeta,
y avanza, y no se inmuta.

Las fieras se acarician. No han oído
tropel de cazadores.
A esos terribles seres,
embriagados de amores,
con cadenas de flores
se les hubiera uncido
a la nevada concha de Citeres [3]
o al carro de Cupido.

---

[2] *El príncipe de Gales:* heredero de la corona de Inglaterra.
[3] *Citeres:* isla griega, patria alegórica de los amores, en donde Venus surgió del mar en una concha.

El príncipe atrevido,
adelanta, se acerca, ya se para,
ya apunta y cierra un ojo; ya dispara;
ya del arma el estruendo
por el espeso bosque ha resonado.
El tigre sale huyendo,
y la hembra queda, el vientre desgarrado.
¡Oh, va a morir!... Pero antes, débil, yerta,
chorreando sangre por la herida abierta,
con ojo dolorido,
miró a aquel cazador, lanzó un gemido
como un ¡ay! de mujer..., y cayó muerta.

III

Aquel macho que huyó, bravo y zahareño
a los rayos ardientes
del sol, en su cubil después dormía.
Entonces tuvo un sueño:
que enterraba las garras y los dientes
en vientres sonrosados
y pechos de mujer; y que engullía
por postres delicados
de comidas y cenas,
como tigre goloso entre golosos,
unas cuantas docenas
de niños tiernos, rubios y sabrosos.

Venus

En la tranquila noche, mis nostalgias amargas sufría.
En busca de quietud, bajé al fresco y callado jardín.
En el obscuro cielo, Venus bella temblando lucía,
como incrustado en ébano un dorado y divino jazmín.

A mi alma enamorada, una reina oriental parecía,
que esperaba a su amante, bajo el techo de su camarín,
o que, llevada en hombros, la profunda extensión re-
[corría,
triunfante y luminosa, recostada sobre un palanquín.

«¡Oh reina rubia! —díjele—, mi alma quiere dejar
[su crisálida
y volar hacia ti, y tus labios de fuego besar;
y flotar en el nimbo que derrama en tu frente luz pálida,
y en siderales éxtasis no dejarte un momento de amar.»
El aire de la noche, refrescaba la atmósfera cálida.
Venus, desde el abismo, me miraba con triste mirar.

De invierno

En invernales horas, mirad a Carolina.
Medio apelotonada, descansa en el sillón,
envuelta con su abrigo de marta cibelina [4]
y no lejos del fuego que brilla en el salón.

El fino angora blanco junto a ella se reclina,
rozando con su hocico la falda de Alençón [5],
no lejos de las jarras de porcelana china
que medio oculta un biombo de seda del Japón.

Con sus sutiles filtros la invade un dulce sueño;
entro, sin hacer ruido; dejo mi abrigo gris;
voy a besar su rostro, rosado y halagüeño

como una rosa roja que fuera flor de lis [6].
Abre los ojos; mírame con su mirar risueño,
y en tanto cae la nieve del cielo de París.

---

[4] *marta cibelina:* piel del animal de este género y nombre, caracterizada por su extraordinaria suavidad.
[5] *Alençon:* falda de encaje de Alençon, ciudad francesa.
[6] *flor de lis:* blanca como el lirio.

Walt Whitman

En su país de hierro vive el gran viejo,
bello como un patriarca, sereno y santo.
Tiene en la arruga olímpica de su entrecejo
algo que impera y vence con noble encanto.

Su alma del infinito parece espejo;
son sus cansados hombros dignos del manto[7];
y con arpa labrada de un roble añejo[8],
como un profeta nuevo canta su canto.

Sacerdote que alienta soplo divino[9],
anuncia, en el futuro, tiempo mejor.
Dice al águila: «¡Vuela!»; «¡Boga!», al marino,

y «¡Trabaja!», al robusto trabajador.
¡Así va ese poeta por su camino,
con su soberbio[10] rostro de emperador!

---

[7] *dignos del manto:* merecedores de portar la vestidura emble-
mática de la dignidad de un cargo en el estado.
[8] *roble añejo:* imagen alusiva a la fuerza poética de Whitman.
[9] *soplo divino:* sacerdote inspirado por Dios.
[10] *soberbio:* en este sentido, espléndido, magnífico.

Prosas profanas

Palabras liminares

Después de *Azul*..., después de *Los Raros,* voces *insinuantes,* buena y mala intención, entusiasmo sonoro y envidia subterránea —todo bella cosecha—, solicitaron lo que, en conciencia, no he creído fructuoso ni oportuno: un manifiesto.

Ni fructuoso ni oportuno:

a) Por la absoluta falta de elevación mental de la mayoría pensante de nuestro continente, en la cual impera el unversal personaje clasificado por Rémy de Gourmont[1] con el nombre de *Celui-qui-ne-comprend-pas*[2] *Celui-qui-ne-comprend-pas* es entre nosotros profesor, académico correspondiente de la Real Academia Española, periodista, abogado, poeta, *rastaquouère*[3].

b) Porque la obra colectiva de los nuevos de América es aún vana, estando muchos de los mejores talentos en el limbo de un completo desconocimiento del mismo arte a que se consagran.

c) Porque proclamando, como proclamo, una estética acrática, la imposición de un modelo o de un código implicaría una contradicción.

---

[1] *Rémy de Gourmont* (1858-1915): Novelista y crítico francés de ideología anarquista y espíritu rebelde; fue uno de los fundadores del periódico literario *Mercure de France.*

[2] *Celui... pas:* el hombre que no entiende nada. Un tipo inventado por Gourmont.

[3] *rastaquère:* rastacuero, hombre que vive utilizando medios dudosos.

Yo no tengo literatura «mía» —como lo ha manifestado una magistral autoridad—, para marcar el rumbo de los demás: mi literatura es *mía* en mí; quien siga servilmente mis huellas perderá su tesoro personal y, paje o esclavo, no podrá ocultar sello o librea. Wagner, a Augusta Holmes, su discípula, dijo un día: «Lo primero, no imitar a nadie, y sobre todo, a mí.» Gran decir.

* * *

Yo he dicho, en la misa rosa de mi juventud, mis antífonas[4], mis consecuencias, mis profanas prosas. Tiempo y menos fatigas de alma y corazón me han hecho falta, para, como un buen monje artífice, hacer mis mayúsculas dignas de cada página del breviario. (A través de los fuegos divinos de las vidrieras historiadas[5], me río del viento que sopla afuera, del mal que pasa.) Tocad, campanas de oro, campanas de plata; tocad todos los días, llamándome a la fiesta en que brillan los ojos de fuego, y las rosas de las bocas sangran delicias únicas. Mi órgano es un viejo clavicordio pompadour, al son del cual danzaron sus gavotas[6] alegres abuelos; y el perfume de tu pecho es mi perfume, eterno incensario de carne, Varona[7] inmortal, flor de mi costilla.

Hombre soy.

* * *

¿Hay en mi sangre alguna gota de sangre de África, o de indio chorotega o nagrandano?[8] Pudiera ser, a despecho de mis manos de marqués; mas he aquí que veréis en mis versos princesas, reyes, cosas imperiales, visiones de países lejanos o imposibles: ¡qué queréis!, yo detesto la vida y el tiempo en que me tocó nacer; y a

[4] *antífonas:* himnos eclesiásticos.
[5] *historiadas:* muy decoradas.
[6] *gavota:* danza de Corte.
[7] *Varona:* mujer fuerte.
[8] *chorotega, nagrandano:* tribus indias de la América Central.

un presidente de República, no podré saludarle en el idioma en que te cantaría a ti, ¡oh Halagabal! [9], de cuya corte —oro, seda, mármol— me acuerdo en sueños...

(Si hay poesía en nuestra América, ella está en las cosas viejas: en Palenke [10] y Utatlán [11], en el indio legendario, y en el inca sensual y fino, y en el gran Moctezuma [12] de la silla de oro. Lo demás es tuyo, demócrata Walt Whitman.)

Buenos Aires: Cosmópolis.

¡Y mañana!

* * *

El abuelo español de barba blanca me señala una serie de retratos ilustres: «Éste —me dice— es el gran don Miguel de Cervantes Saavedra, genio y manco; éste es Lope de Vega, éste Garcilaso, éste Quintana.» Yo le pregunto por el noble Gracián, por Teresa la Santa, por el bravo Góngora y el más fuerte de todos, don Francisco de Quevedo y Villegas. Después exclamo: «¡Shakespeare! ¡Dante! ¡Hugo...!» (Y en mi interior: ¡Verlaine...!)

Luego, al despedirme: «—Abuelo, preciso es decíroslo: mi esposa es de mi tierra; mi querida, de París.»

* * *

¿Y la cuestión métrica? ¿Y el ritmo?

Como cada palabra tiene un alma, hay en cada verso, además de la armonía verbal, una melodía ideal. La música es sólo de la idea, muchas veces.

* * *

---

[9] *Halagabal:* personaje imaginario; aparece en un poema del poeta alemán Stefan George.

[10] *Palenke:* lugar de ruinas impresionantes en Chiapas, Méjico.

[11] *Utatlán:* sitio en que estuvo el gran fuerte El Resguardo, en Guatemala. Anteriormente había sido baluarte de los indios Quiché, tomado por los españoles en 1524.

[12] *Moctezuma* (1390-1474): emperador azteca de Méjico.

La gritería de trescientas ocas no te impedirá, silvano[13] tocar tu encantadora flauta, con tal de que tu amigo el ruiseñor esté contento de tu melodía. Cuando él no esté para escucharte, cierra los ojos y toca para los habitantes de tu reino interior. ¡Oh pueblo de desnudas ninfas, de rosadas reinas, de amorosas diosas!

Cae a tus pies una rosa, otra rosa, otra rosa. ¡Y besos!

* * *

Y la primera ley, creador: crear. Bufe el eunuco[14]. Cuando una musa te dé un hijo, queden las otras ocho encinta.

---

[13] *silvano:* en la mitología romana, dios de los bosques.
[14] *Bufe el eunuco:* (eunuco: castrado) Dejad al eunuco que rabie.

Era un aire suave...

Era un aire suave, de pausados giros:
el hada Harmonía ritmaba sus vuelos [15],
e iban frases vagas y tenues suspiros
entre los sollozos de los violoncelos.

Sobre la terraza, junto a los ramajes,
diríase un trémolo de liras eolias
cuando acariciaban los sedosos trajes,
sobre el tallo erguidas, las blancas magnolias [16].

La marquesa Eulalia risas y desvíos
daba a un tiempo mismo para dos rivales:
el vizconde rubio de los desafíos
y el abate joven de los madrigales.

Cerca, coronado con hojas de viña,
reía en su máscara Término barbudo [17]
y, como un efebo [18] que fuese una niña,
mostraba una Diana [19] su mármol desnudo.

[15] *el hada... vuelos:* Darío imagina la música como hada voladora.
[16] *diríase... magnolias:* literalmente: cuando las blancas magnolias alzándose sobre sus tallos acariciaban los trajes de seda, parecía oírse el vibrar de las liras griegas.
[17] *Término barbudo:* dios romano de límites y fronteras. Se utilizaba con mucha frecuencia su imagen en la ornamentación.
[18] *efebo:* muchacho adolescente.
[19] *Diana:* diosa de la caza, aquí representada en estatua.

Y bajo un boscaje del amor palestra[20],
sobre rico zócalo al modo de Jonia[21],
con un candelabro prendido en la diestra
volaba el Mercurio de Juan de Bolonia[22].

La orquesta perlaba sus mágicas notas;
un coro de sones alados se oía;
galantes pavanas, fugaces gavotas
cantaban los dulces violines de Hungría.

Al oír las quejas de sus caballeros,
ríe, ríe, ríe la divina Eulalia,
pues son su tesoro las flechas de Eros,
el cinto de Cipria[23], la rueca de Onfalia[24].

¡Ay de quien sus mieles y frases recoja!
¡Ay de quien del canto de su amor se fíe!
Con sus ojos lindos y su boca roja,
la divina Eulalia, ríe, ríe, ríe.

Tiene azules ojos, es maligna y bella;
cuando mira, vierte viva luz extraña;
se asoma a sus húmedas pupilas de estrella
el alma del rubio cristal de Champaña.

Es noche de fiesta, y el baile de trajes
ostenta su gloria de triunfos mundanos.
La divina Eulalia, vestida de encajes,
una flor destroza con sus tersas manos.

---

[20] *un boscaje... palestra:* lugar del combate (en sentido figurado
huerto que invita al amor).

[21] *zócalo... Jonia:* hecho en estilo jónico (de Grecia).

[22] *Juan de Bolonia* (1524-1608): escultor y arquitecto del Renacimiento italiano muy influido por Miguel Ángel. Su famosa
estatua de Mercurio se conserva en Florencia.

[23] *Cipria:* Cipris, Afrodita.

[24] *Onfalia:* reina de Lidia que primero tuvo a Hércules por
esclavo y luego se casó con él.

El teclado harmónico de su risa fina
a la alegre música de un pájaro iguala,
con los *staccati* de una bailarina
y las locas fugas de una colegiala.

¡Amoroso pájaro que trinos exhala
bajo el ala a veces ocultando el pico;
que desdenes rudos lanza bajo el ala,
bajo el ala aleve del leve abanico! [25]

Cuando a medianoche sus notas arranque
y en arpegios áureos gima Filomela [26],
y el ebúrneo [27] cisne, sobre el quieto estanque,
como blanca góndola imprima su estela,

la marquesa alegre llegará al boscaje,
boscaje que cubre la amable glorieta
donde han de estrecharla los brazos de un paje
que, siendo su paje, será su poeta.

Al compás de un canto de artista de Italia
que en la brisa errante la orquesta deslíe [28],
junto a los rivales, la divina Eulalia,
la divina Eulalia, ríe, ríe, ríe.

¿Fue acaso en el tiempo del rey Luis de Francia,
sol con corte de astros [29], en campo de azur,
cuando los alcázares llenó de fragancia
la regia y pomposa rosa Pompadour? [30]

---

[25] *abanico:* este verso es uno de los mejores ejemplos de **ali-**
teración, juego verbal basado en la repetición de un **mismo**
sonido.
[26] *Filomela:* nombre poético dado al ruiseñor.
[27] *ebúrneo:* blanco como el marfil.
[28] *deslíe:* diluye (la música en el aire).
[29] *sol con corte de astros:* Luis XIV de Francia —llamado **el**
rey Sol— con su corte de nobles a los que el poeta ve **como**
estrellas.
[30] *Pompadour:* Marquesa de Pompadour (1721-1764), **amante**
de Luis XV de Francia.

¿Fue cuando la bella su falda cogía
con dedos de ninfa, bailando el minué,
y de los compases el ritmo seguía,
sobre el tacón rojo, lindo y leve el pie?

¿O cuando pastoras de floridos valles
ornaban con cintas sus albos corderos
y oían, divinas Tirsis de Versalles [31],
las declaraciones de sus caballeros?

¿Fue en ese buen tiempo de duques pastores,
de amantes princesas y tiernos galanes,
cuando entre sonrisas y perlas y flores
iban las casacas de los chambelanes? [32]

¿Fue acaso en el Norte o en el Mediodía?
Yo el tiempo y el día y el país ignoro;
pero sé que Eulalia ríe todavía,
¡y es cruel y eterna su risa de oro!

---

[31] *Tirsis de Versalles:* damas de la corte vestidas como pastoras
en el palacio de Versalles.
[32] *chambelán:* gentilhombre de cámara.

Blasón [33]

Para la Condesa de Peralta

El olímpico cisne de nieve,
con el ágata rosa del pico,
lustra el ala eucarística [34] y breve ⟵
que abre al sol como un casto abanico.

En la forma de un brazo de lira
y del asa de un ánfora griega
es su cándido cuello, que inspira,
como prora [35] ideal que navega.

Es el cisne, de estirpe sagrada,
cuyo beso, por campos de seda,
ascendió hasta la cima rosada
de las dulces colinas de Leda [36]. ⟵

---

[33] *Blasón:* figura en el escudo.

[34] *eucarística:* el ala blanca es indirectamente comparada con la blancura y la pureza de la hostia en la comunón.

[35] *Prora:* licencia poética por proa.

[36] *Leda:* diosa griega amada por Zeus que se metamorfoseó en cisne para poder acercarse a ella fácilmente, ya que este ave era considerado sagrado por las diosas. Campos, cima y colinas son metáforas para determinadas partes del cuerpo femenino.

Blanco rey de la fuente Castalia [37],
su victoria ilumina el Danubio;
Vinci [38] fue su barón en Italia;
Lohengrín [39] es su príncipe rubio.

Su blancura es hermana del lino,
del botón de los blancos rosales
y del albo toisón [40] diamantino
de los tiernos corderos pascuales.

Rimador de ideal florilegio [41],
es de armiño su lírico manto,
y es el mágico pájaro regio
que al morir rima el alma en un canto.

El alado aristócrata muestra
lises albos en campo de azur,
y ha sentido en sus plumas la diestra
de la amable y gentil Pompadour.

Boga y boga en el lago sonoro
donde el sueño a los tristes espera,
donde aguarda una góndola de oro
a la novia de Luis de Baviera [42].

Dad, Condesa, a los cisnes cariño;
dioses son de un país halagüeño,
y hechos son de perfume, de armiño,
de luz alba, de seda y de sueño.

---

[37] *fuente Castalia:* fuente del monte Parnaso, consagrado a las musas.

[38] *Vinci:* Leonardo da Vinci (1452-1519). Se alude a él, por su famoso cuadro que recrea el tema de Leda y el cisne.

[39] *Lohengrín:* personaje de la mitología alemana, que en sus aventuras heroicas es transportado en una barca por un cisne

[40] *toisón:* piel del cordero.

[41] *Rimador... florilegio:* poeta de una colección ideal. En español los poemas se llamaron alguna vez flores y de ahí el que a una selección de ellos se le llame florilegio.

[42] *Luis de Baviera* (1845-1886): rey de Baviera, protector de Wagner. De carácter misántropo, sufrió varios accesos de locura. Fue una figura aureolada de cierta leyenda romántica.

Coloquio de los centauros [43]

A Paul Groussac

En la isla en que detiene su esquife el argonauta
del inmortal Ensueño, donde la eterna pauta
de las eternas liras se escucha: —Isla de Oro
en que el tritón erige su caracol sonoro
y la sirena blanca va a ver el sol—, un día   5
se oye un tropel vibrante de fuerza y de armonía.

---

[43] Este poema es generalmente considerado como el más ambicioso y metafísico de los escritos por su autor. El mito de Quirón, el centauro sabio, justo y prudente, Sagitario en el Zodíaco (por eso «arquero luminoso») preside la concepción y la redacción del poema. La figura de este excepcional centauro, amigo de Aquiles y maestro de Esculapio, atrajo la atención de los poetas y dramaturgos grecolatinos. Píndaro le cantó, Eurípides le elogio en *Ifigenia en Aulide* y Luciano le hizo hablar en sus diálogos infernales. Si en la mitología tradicional los centauros, seres mitad hombres y mitad caballos, dotados de inteligencia, se caracterizaban por la animalidad de sus pasiones, en Rubén Darío, por el contrario, todos parecen contagiados de la sabiduría quironiana.

Los centauros preferían la mujer a las hembras de su propia forma. Ejemplo trágico es el de Neso, raptor de la hermosa Deyanira, aludido en el coloquio. A la pasión erótica la sustituye en estos versos el amor del conocimiento. El enigma de que se habla es el misterio, que le impulsa a escribir poesía. Junto a esto, la muerte aparece en el poema, como en el mito de Quirón, aceptable, deseada incluso. El misterio de la muerte y el mis-

Son los Centauros. Cubren la llanura. Les siente
la montaña. De lejos, forman son de torrente
que cae; su galope al aire que reposa
despierta, y estremece la hoja del laurel-rosa.

Son los Centauros. Unos enormes, rudos; otros,
alegres y saltantes como jóvenes potros;
unos, con largas barbas como los padres-ríos;
otros, imberbes, ágiles y de piafantes bríos,
y de robustos músculos, brazos y lomos, aptos
para portar las ninfas rosadas en los raptos.

Van en galope rítmico. Junto a un fresco boscaje
frente al gran Oceano, se paran. El paisaje
recibe, de la urna matinal, luz sagrada
que el vasto azul suaviza con límpida mirada
y oyen seres terrestres y habitantes marinos
la voz de los crinados cuadrúpedos divinos.

QUIRÓN

Calladas las bocinas a los tritones gratas,
calladas las sirenas de labios escarlatas,

---

terio de la vida quedan explicitados de manera transparente.
Todos los seres vivos tienen derecho a vivir, pues no son ni
buenos ni malos sino «formas del Enigma». El amor tiende a la
fusión de los seres en lo que el poeta llama, clásicamente, «Himeneo», es decir, la posibilidad de que los amantes se unan en
un ser único: «Cinis será Ceneo», posibilidad de hermafroditis-
mo, ya que Ceneo, antes de ser hombre fue mujer.

Inclinado a los esoterismos, cultivador de lo oculto, Darío miraba las cosas alrededor suyo y las veía dotadas de alma; por
eso decía que «tienen un ser vital», cada una de ellas «una
cifra, un enigma», y se aplicaba a traducirlo. La naturaleza tiene
voces que hablan expresivamente a quien sabe escucharlas. El
vate, el sacerdote entienden y descifran su lenguaje. Todo pasa
y todo vuelve, los seres retornan desde lejos y, según Pitágoras
dijo, reencarnan una y otra vez en la continuidad del mundo.

El «Coloquio» ocurre en una isla fantástica, espacio maravilloso
en donde el tiempo no existe. Los toscos monstruos de la mitología, dialogan aquí en un mundo poético que es el del mito
y la leyenda, y a la vez lo trascienden.

los carrillos de Eolo [44] desinflados, digamos
junto al laurel ilustre de florecidos ramos
la gloria inmarcesible de las Musas hermosas
y el triunfo del terrible misterio de las cosas.
He aquí que renacen los lauros milenarios;
vuelven a dar su luz los viejos lampadarios [45];
y anímase en mi cuerpo de Centauro inmortal
la sangre del celeste caballo paternal.

RETO

Arquero luminoso, desde el Zodíaco llegas;
aún presas en las crines tienes abejas griegas;
aún del dardo herakleo muestras la roja herida
por do salir no pudo la esencia de tu vida.
¡Padre y Maestro excelso! Eres la fuente sana
de la verdad que busca la triste raza humana:
aún Esculapio [46] sigue la vena de tu ciencia;
siempre el veloz Aquiles [47] sustenta su existencia
con el manjar salvaje que le ofreciste un día,
y Herakles [48], descuidando su maza, en la armonía
de los astros, se eleva bajo el cielo nocturno...

QUIRÓN

La ciencia es flor del tiempo: mi padre fue Saturno [49].

---

[44] *Eolo:* dios de los vientos. Se le suele representar soplando, por eso aquí, al estar el viento en calma, se dice que está con los carrillos desinflados.

[45] *lampadario:* soporte del que se suspenden lámparas. Se utilizaron en Roma y Grecia clásicas.

[46] *Esculapio:* dios de la medicina, a quien aleccionó Quirón.

[47] *Aquiles:* héroe griego, personaje importante de la Ilíada, de Homero, invulnerable a todos los ataques, salvo a los dirigidos al talón, por donde le atacó y mató Héctor, durante el sitio de Troya.

[48] *Herakles:* Hércules.

[49] *Saturno:* dios de la mitología griega que devoraba sus propios hijos.

Himnos a la sagrada Naturaleza; al vientre
de la tierra y al germen que entre las rocas y entre
las carnes de los árboles, y dentro humana forma,
es un mismo secreto y es una misma norma:
potente y sutilísimo, universal resumen
de la suprema fuerza, de la virtud del Numen.

QUIRÓN

¡Himnos! Las cosas tienen un ser vital: las cosas
tienen raros aspectos, miradas misteriosas;
toda forma es un gesto, una cifra, un enigma;
en cada átomo existe un incógnito estigma;
cada hoja de cada árbol canta un propio cantar
y hay un alma en cada una de las gotas del mar,
el vate, el sacerdote, suele oír el acento
desconocido; a veces enuncia el vago viento
un misterio, y revela una inicial la espuma
o la flor; y se escuchan palabras de la bruma.
Y el hombre favorito del numen, en la linfa
o la ráfaga, encuentra mentor: —demonio o ninfa.

POLO

El biforme ixionida [50] comprende de la altura,
por la materna gracia, la lumbre que fulgura
la nube que se anima de luz y que decora
el pavimento en donde rige su carro Aurora,
y la banda de Iris [51] que tiene siete rayos
cual la lira en sus brazos siete cuerdas; los mayos
en la fragante tierra llenos de ramos bellos,
y el Polo coronado de cándidos cabellos.

---

[50] *biforme ixionida:* de forma dual, de hombre y de bestia;
los centauros eran hijos de Ixión y de Nefel, diosa de las nubes.
[51] *Iris:* la mensajera de los dioses, su gasa flotante tiene siete
colores, según se ven en el arco iris.

El ixionida pasa veloz por la montaña,
rompiendo con el pecho de la maleza huraña
los erizados brazos, las cárceles hostiles;
escuchan sus orejas los ecos más sutiles;
sus ojos atraviesan las intrincadas hojas,   75
mientras sus manos toman para sus bocas rojas
las frescas bayas altas que el sátiro codicia;
junto a la oculta fuente su mirada acaricia
las curvas de las ninfas [52] del séquito de Diana;
pues en su cuerpo corre también la esencia humana,   80
unida a la corriente de la savia divina
y a la salvaje sangre que hay en la bestia equina.
Tal el hijo robusto de Ixión y de la Nube.

QUIRÓN

Sus cuatro patas, bajan; su testa erguida, sube.

ORNEO

Yo comprendo el secreto de la bestia. Malignos   85
seres hay y benignos. Entre ellos se hacen signos
de bien y mal, de odio o de amor, o de pena
o gozo; el cuervo es malo y la torcaz es buena.

QUIRÓN

Ni es la torcaz benigna ni es el cuervo protervo:
son formas del Enigma la paloma y el cuervo.   90

ASTILO

El Enigma es el soplo que hace cantar la lira.

---

[52] *ninfas:* diosas de los bosques, encarnación de la fecundidad
de la naturaleza; Diana (la Artemisa griega) es la figura central
de esta mitología, la virgen cazadora que nunca se entregó a los
hombres.

¡El Enigma es el rostro fatal de Deyanira! [53]
Mi espalda aún guarda el dulce perfume de la bella;
aún mis pupilas llama su claridad de estrella.
¡Oh aroma de su sexo!, ¡oh rosas y alabastros!,
¡oh envidia de las flores y celos de los astros!

QUIRÓN

Cuando del sacro abuelo la sangre luminosa
con la marina espuma formara nieve y rosa,
hecha de rosa y nieve nació la Anadiomena [54].
Al cielo alzó los brazos la lírica sirena;
los curvos hipocampos sobre las verdes ondas
levaron los hocicos; y caderas redondas,
tritónicas melenas y dorsos de delfines
junto a la Reina nueva se vieron. Los confines
del mar llenó el grandioso clamor; el universo
sintió que un nombre armónico, sonoro como un verso,
llenaba el hondo hueco de la altura: ese nombre
hizo gemir la tierra de amor: fue para el hombre
más alto que el de Jove [55], y los númenes mismos
lo oyeron asombrados; los lóbregos abismos
tuvieron una gracia de luz. ¡VENUS impera!
Ella es entre las reinas celestes la primera,
pues es quien tiene el fuerte poder de la Hermosura.
¡Vaso de miel y mirra brotó de la amargura!
Ella es la más gallarda de las emperatrices;
princesa de los gérmenes, reina de las matrices,

---

[53] *Deyanira*: esposa de Hércules. El centauro Neso intentó violarla y fue muerto por Hércules de un flechazo; en sus últimos instantes entregó a Deyanira su túnica ensangrentada como talismán para conservar el amor de su esposo. Pensando en una ocasión que le era infiel se la envió y vestida por el héroe le produjo tales dolores que se suicidó. Sófocles utilizó esta leyenda como tema de su tragedia *Las Traquinias*.
[54] *Anadiómena*: Venus. Es el epíteto que se le da cuando se la representa saliendo de las aguas del mar.
[55] *Jove*: Júpiter.

señora de las savias y de las atracciones,
señora de los besos y de los corazones.

EURETO

¡No olvidaré los ojos radiantes de Hipodamia! [56]

HIPEA

Yo sé de la hembra humana la original infamia.
Venus anima artera sus máquinas fatales;
tras los radiantes ojos ríen traidores males;
de su floral perfume se exhala sutil daño;
su cráneo obscuro alberga bestialidad y engaño.
Tiene las formas puras del ánfora, y la risa
del agua que la brisa riza y el sol irisa;
mas la ponzoña ingénita su máscara pregona:
mejores son el águila, la yegua y la leona.
De su húmeda impureza brota el calor que enerva
los mismos sacros dones de la imperial Minerva;
y entre sus duros pechos, lirios del Aqueronte [57],
hay un olor que llena la barca de Caronte [58].

ODITES

Como una miel celeste hay en su lengua fina;
su piel de flor, aún húmeda está de agua marina.
Yo he visto de Hipodamia la faz encantadora,
la cabellera espesa, la pierna vencedora.
Ella de la hembra humana fuera ejemplar augusto;
ante su rostro olímpico no habría rostro adusto;

---

[56] *Hipodamia:* hermosísima mujer, esposa de Piritoo, rey de los Lapitas; con ocasión de su boda, éstos lucharon fieramente con los centauros.

[57] *Aqueronte:* río que han de cruzar los muertos en la barca de Caronte, para entrar en los infiernos.

[58] *Caronte:* el barquero encargado de transportar los muertos a los infiernos. Por tanto, el olor que llena su barca es de la muerte.

las Gracias [58] junto a ella quedarían confusas,
y las ligeras Horas [60] y las sublimes Musas 140
por ella detuvieran sus giros y su canto.

HIPEA

Ella la causa fuera de inenarrable espanto:
por ella el ixionida dobló su cuello fuerte.
La hembra humana es hermana del Dolor y la Muerte.

QUIRÓN

Por suma ley, un día llegará el himeneo 145
que el soñador aguarda: Cinis será Ceneo;
claro será el origen del femenino arcano:
la Esfinge tal secreto dirá a su soberano.

CLITO

Naturaleza tiende sus brazos y sus pechos
a los humanos seres; la clave de los hechos 150
conócela el vidente: Homero, con su báculo;
en su gruta Deífobe [61], la lengua del Oráculo.

CAUMANTES

El monstruo expresa un ansia del corazón del Orbe;
en el Centauro el bruto la vida humana absorbe;
el sátiro [62] es la selva sagrada y la lujuria: 155
une sexuales ímpetus a la armoniosa furia:
Pan [63] junta la soberbia de la montaña agreste

[58] *Gracias:* Aglae, Eufrosia y Talía, personificaciones de la armonía entre la belleza física y espiritual.
[60] *Horas:* divinidades de la vegetación, asociadas al culto del sol.
[61] *Deífobe:* uno de los nombres de la sibila de Cumas, portavoz del Oráculo.
[62] *Sátiro:* encarnación del deseo sexual en la naturaleza primitiva.
[63] *Pan:* dios de la naturaleza, en quien encarna las fuerzas de la vida animal. Se le representa la mitad hombre y mitad ma-

74

al ritmo de la inmensa mecánica celeste;
la boca melodiosa que atrae en Sirenusa,
es de la fiera alada y es de la suave musa;
con la bicorne bestia Pasifae [64] se ayunta.
Naturaleza sabia, formas diversas junta,
y cuando tiende al hombre la gran Naturaleza,
el monstruo, siendo el símbolo, se viste de belleza.

GRINEO

Yo amo lo inanimado que amó el divino Hesiodo [65].

QUIRÓN

Grineo, sobre el mundo tiene un ánima todo.

GRINEO

He visto, entonces, raros ojos fijos en mí:
los vivos ojos rojos del alma del rubí;
los ojos luminosos del alma del topacio,
y los de la esmeralda que del azul espacio
la maravilla imitan; los ojos de las gemas
de brillos peregrinos y mágicos emblemas.
Amo el granito duro que el arquitecto labra
y el mármol en que duermen la línea y la palabra.

---

cho cabrío, con dos cuernos en la frente y danzando o tocando
la siringa.
[64] *Pasifae:* reina de Creta; Poseidón hizo que se enamorara
de un toro blanco, de quien tuvo un hijo, el Minotauro.
[65] *Hesiodo:* poeta épico griego, llamado «Padre de la Historia»
(siglo VIII a. C.). Junto con Homero es el representante más
antiguo de la poesía griega conocida. Su poema de la *Teogonía*
es un recuento de las genealogías de los dioses.

A Deucalión [66] y a Pirra [67], varones y mujeres, 175
las piedras aún intactas, dijeron: «¿Qué nos quieres?»

LICIDAS

Yo he visto los lemures [68] flotar, en los nocturnos
instantes, cuando escuchan los bosques taciturnos
el loco grito de Atis [69] que su dolor revela
o la maravillosa canción de Filomela.
El galope apresuro, si en el boscaje miro 180
manes [70] que pasan, y oigo su fúnebre suspiro.
Pues de la Muerte el hondo, desconocido Imperio,
guarda el pavor sagrado de su fatal misterio.

ARNEO

La Muerte es de la Vida la inseparable hermana. 185

QUIRÓN

La Muerte es la victoria de la progenie humana.

MEDÓN

¡La Muerte! Yo la he visto. No es demacrada y mustia
ni ase corva guadaña, ni tiene faz de angustia.
Es semejante a Diana, casta y virgen como ella,
en su rostro hay la gracia de la núbil doncella 190

---

[66] *Deucalión:* hijo de Prometeo, que con su esposa escapó del
castigo impuesto por Zeus a los hombres, cuando decretó la
inundación de la tierra.
[67] *Pirra:* mujer de Deucalión.
[68] *lémures:* espíritus maléficos que se aparecen a los hombres
para intimidarlos.
[69] *Atis:* pastor griego de quien se enamoró la diosa Cibeles, y
castigó su infidelidad enloqueciéndolo; en un transporte de su
locura se castró y murió.
[70] *manes:* sombras o almas de los muertos.

y lleva una guirnalda de rosas siderales.
En su siniestra tiene verdes palmas triunfales
y en su diestra una copa con agua del olvido.
A sus pies, como un perro, yace un amor dormido.

AMICO

Los mismos dioses buscan la dulce paz que vierte.

QUIRÓN

La pena de los dioses es no alcanzar la Muerte.

EURETO

Si el hombre —Prometeo [71]— pudo robar la vida,
la clave de la Muerte seréle concedida.

QUIRÓN

La virgen de las vírgenes es inviolable y pura.
Nadie su casto cuerpo tendrá en la alcoba obscura,
ni beberá en sus labios el grito de victoria,
ni arrancará a su frente las rosas de su gloria.
....

* * *

Mas he aquí que Apolo [72] se acerca al meridiano.
Sus truenos prolongados repite el Oceano.
Bajo el dorado carro del reluciente Apolo
vuelve a inflar sus carrillos y sus odres Eolo.
A lo lejos, un templo de mármol se divisa
entre laureles-rosa que hace cantar la brisa.

---

[71] *Prometeo:* figura mitológica que robó el fuego a los dioses para dárselo a los hombres.
[72] *Apolo:* hijo de Zeus y de Latona, reputado como el más bello de los dioses. Se identifica con el sol lo que explica los versos siguientes, en que se hace referencia al atardecer.

Con sus vibrantes notas, de Céfiro [73] desgarra
la veste transparente la helénica cigarra,
y por el llano extenso van en tropel sonoro
los Centauros, y al paso, tiembla la Isla de Oro.

---

[73] *Céfiro:* el viento del Oeste, representado como un joven
alado, muy hermoso.

Margarita

In memoriam...

¿Recuerdas que querías ser una Margarita
Gautier?[74] Fijo en mi mente tu extraño rostro está,
cuando cenamos juntos, en la primera cita,
en una noche alegre que nunca volverá.

Tus labios escarlata de púrpura maldita
sorbían el champaña del fino baccarat[75],
tus dedos deshojaban la blanca margarita:
«Sí..., no..., sí..., no...», ¡y sabías que te adoraba ya!

Después, ¡oh flor de Histeria!, llorabas y reías;
tus besos y tus lágrimas tuve en mi boca yo;
tus risas, tus fragancias, tus quejas eran mías.

Y en una tarde triste de los más duces días,
la Muerte, la celosa, por ver si me querías,
¡como a una margarita de amor, te deshojó!

---

[74] *Margarita Gautier:* heroína romántica, protagonista del drama *La dama de las camelias* del escritor francés Alejandro Dumas, hijo (1824-1895).
[75] *baccarat:* vaso de cristal finísimo, hecho en Baccarat, Francia.

"Ite, missa est" [76]

A Reynaldo de Rafael

Yo adoro a una sonámbula con alma de Eloísa [77],
virgen como la nieve y honda como la mar;
su espíritu es la hostia de mi amorosa misa,
y alzo al son de una dulce lira crepuscular.

Ojos de evocadora, gesto de profetisa,
en ella hay la sagrada frecuencia del altar;
su risa es la sonrisa suave de Monna Lisa,
sus labios son los únicos labios para besar.

Y he de besarla un día con rojo beso ardiente;
apoyada en mi brazo como convaleciente,
me mirará asombrada con íntimo pavor;

la enamorada esfinge quedará estupefacta,
apagaré la llama de la vestal intacta [78],
¡y la faunesa antigua me rugirá de amor! [79]

---

[76] *«Ite, missa est»*: «Marchaos, la misa se acabó», palabras dichas por el sacerdote al final de la misa.

[77] *Eloísa:* la amada de Pedro Abelardo, prototipo del amor puro.

[78] *apagaré... intacta:* las vestales eran las vírgenes encargadas de alimentar el fuego sagrado de Vesta; con esta metáfora el poeta alude a la posesión amorosa.

[79] *¡y la faunesa... amor!:* una vez despierta por el amor la virgen revelará su sensual naturaleza.

Responso a Verlaine [80]

A Ángel Estrada, poeta

Padre y maestro mágico, liróforo [81] celeste
que al instrumento olímpico [82] y a la siringa agreste [83]
    diste tu acento encantador;
¡Panida! [84] ¡Pan tú mismo, que coros condujiste
hacia el propíleo [85] sacro que amaba tu alma triste,
    al són del sistro [86] y del tambor!

---

[80] *Verlaine* (1844-1896): poeta francés que pasó del parnasianismo al simbolismo explicando que la poesía debía ser musical sobre todo y que el orden riguroso, escultural del parnasianismo no servía para expresar la sutileza, vaguedad y compleja sugestividad de la poesía moderna. Cuando Rubén Darío encontró a Verlaine en París le vio en estado de lamentable embriaguez; una descripción del encuentro se halla en la autobiografía de Rubén Darío y puede leerse al final de este libro.

[81] *liróforo:* tocador de lira.

[82] *instrumento olímpico:* la lira.

[83] *siringa agreste:* la flauta de Pan, instrumento musical menos refinado que la lira.

[84] *¡Panida!:* seguidor de Pan, y metafóricamente persona dotada con talento musical. Pan es la figura mítica que con su flauta pastoral conducía las danzas de las ninfas.

[85] *propíleo:* vestíbulo del templo.

[86] *sistro:* instrumento musical, metálico, en forma de aro y atravesado por varillas, que se hacía sonar agitándolo con la mano.

Que tu sepulcro cubra de flores Primavera;
que se humedezca el áspero hocico de la fiera,
        de amor, si pasa por allí;
que el fúnebre recinto visite Pan bicorne;
que de sangrientas rosas el fresco Abril te adorne,
        y de claveles de rubí.

Que si posarse quiere sobre la tumba el cuervo,
ahuyenten la negrura del pájaro protervo [87]
        el dulce canto de cristal
que Filomena [88] vierta sobre tus tristes huesos,
o la armonía dulce de risas y de besos,
        de culto oculto y florestal.

Que púberes canéforas te ofrenden el acanto [89];
que sobre tu sepulcro no se derrame el llanto,
        sino rocío, vino, miel;
que el pámpano allí brote, las flores de Citeres,
¡y que se escuchen vagos suspiros de mujeres
        bajo un simbólico laurel!

Que si un pastor su pífano bajo el frescor del haya,
en amorosos días, como en Virgilio, ensaya [90],
        tu nombre ponga en la canción;
y que la virgen náyade [91] cuando ese nombre escuche,
con ansias y temores entre las linfas [92] luche,
        llena de miedo y de pasión.

De noche, en la montaña, en la negra montaña
de las Visiones, pase gigante sombra extraña,

[87] *protervo:* perverso.
[88] *Filomena:* figura mítica que fue convertida en ruiseñor.
[89] *que púberes... acanto:* literalmente: que las muchachas jóvenes llevando sobre su cabeza cestos de flores te ofrezcan el acanto (planta para ser puesta sobre la tumba).
[90] *que si... ensaya:* igualmente: que si, como en los poemas de Virgilio, un pastor toca su flauta bajo el árbol en días hechos para el amor.
[91] *náyade:* espíritu acuático en la mitología romana.
[92] *linfas:* designación poética del agua.

sombra de un Sátiro espectral;
que ella al centauro adusto con su grandeza asuste;
de una extrahumana flauta la melodía ajuste
a la armonía sideral.

Y huya el tropel equino [93] por la montaña vasta;
tu rostro de ultratumba bañe la luna casta
de compasiva y blanca luz;
y el Sátiro contemple sobre un lejano monte
una cruz [94] que se eleve cubriendo el horizonte,
¡y un resplandor sobre la cruz!

---

[93] *tropel equino:* tropa de caballos, aquí específicamente referido a los centauros.
[94] *una cruz:* se entiende, una cruz cristiana más bien que pagana.

Ama tu ritmo [95]

Ama tu ritmo y ritma tus acciones
bajo su ley, así como tus versos;
eres un universo de universos,
y tu alma una fuente de canciones.

La celeste unidad que presupones,
hará brotar en ti mundos diversos;
y al resonar tus números dispersos
pitagoriza en tus constelaciones [96].

Escucha la retórica divina
del pájaro del aire y la nocturna
irradiación geométrica adivina;

mata la indiferencia taciturna,
y engarza perla y perla cristalina
en donde la verdad vuelca su urna.

---

[95] Éste es uno de los pocos casos en que Darío habla directamente al lector. El tú del poema es un poeta a quien Darío recomienda y elogia la armonía. Como ha dicho Octavio Paz, el ritmo es entendido aquí como la fuente de la creatividad poética y clave del universo.

[96] *al resonar... constelaciones:* para explicación de estos dos versos véase lo dicho sobre el pitagorismo en la Introducción a este volumen.

La gitanilla [97]

A Carolus Durán

Maravillosamente danzaba. Los diamantes
negros de sus pupilas vertían su destello;
era bello su rostro, era un rostro tan bello
como el de las gitanas de don Miguel Cervantes.

Ornábase con rojos claveles detonantes
la redondez obscura del casco del cabello;
y la cabeza, firme sobre el bronce del cuello,
tenía la pátina de las horas errantes.

Las guitarras decían en sus cuerdas sonoras
las vagas aventuras y las errantes horas;
volaban los fandangos; daba el clavel fragancia;

la gitana, embriagada de lujuria y cariño,
sintió cómo caía dentro de su corpiño
el bello luis de oro [98] del artista de Francia.

---

[97] *La gitanilla:* este poema tiene el mismo título que una de
las doce *Novelas ejemplares* de Cervantes, a quien luego se menciona.

[98] *luis de oro:* moneda de veinte francos.

Yo persigo una forma...

Yo persigo una forma que no encuentra mi estilo,
botón de pensamiento que busca ser la rosa;
se anuncia con un beso que en mis labios se posa
al abrazo imposible de la Venus de Milo.

Adornan verdes palmas el blanco peristilo[99];
los astros me han predicho la visión de la Diosa;
y en mi alma reposa la luz, como reposa
el ave de la luna sobre un lago tranquilo.

Y no hallo sino la palabra que huye,
la iniciación melódica que de la flauta fluye
y la barca del sueño que en el espacio boga;

y bajo la ventana de mi Bella-Durmiente,
el sollozo continuo del chorro de la fuente
y el cuello del gran cisne blanco que me interroga.

---

[99] *peristilo:* patio rodeado de columnas.

Cantos de vida y esperanza

Prefacio

Podría repetir aquí más de un concepto de las palabras liminares de *Prosas profanas*. Mi respeto por la aristocracia del pensamiento, por la nobleza del Arte, siempre es el mismo. Mi antiguo aborrecimiento a la mediocridad, a la mulatez intelectual, a la chatura [1] estética, apenas si se aminora hoy con una razonada indiferencia.

El movimiento de libertad que me tocó iniciar en América se propagó hasta España, y tanto aquí como allá el triunfo está logrado. Aunque respecto a técnica tuviese demasiado que decir en el país en donde la expresión poética está anquilosada, a punto de que la momificación del ritmo ha llegado a ser un artículo de fe, no haré sino una corta advertencia. En todos los países cultos de Europa se ha usado del hexámetro absolutamente clásico, sin que la mayoría letrada y, sobre todo, la minoría leída, se asustasen de semejante manera de cantar. En Italia ha mucho tiempo, sin citar antiguos, que Carducci [2] ha autorizado los hexámetros; en inglés, no me atrevería casi a indicar, por respeto a la cultura de mis lectores, que la *Evangelina,* de Longfellow [3], está en

---

[1] *chatura:* de muy bajo nivel.
[2] *Josué Carducci* (1836-1913): poeta y erudito italiano. Reaccionando contra el sentimentalismo de los últimos románticos buscó su inspiración en la poesía clásica y acabó por sostener un naturalismo paganizante y optimista. Empleó el hexámetro en su composición *Sogno de'state.*
[3] *Longfellow* (1807-1882), poeta estadounidense. Compuso el

los mismos versos en que Horacio dijo sus mejores pensares. En cuanto al verso libre moderno..., ¿no es verdaderamente singular que en esta tierra de Quevedos y Góngoras los únicos innovadores del instrumento lírico, los únicos libertadores del ritmo, hayan sido los poetas del *Madrid Cómico* y los libretistas del género chico? [4]

Hago esta advertencia porque la forma es lo que primeramente toca a las muchedumbres. Yo no soy un poeta para las muchedumbres. Pero sé que indefectiblemente tengo que ir a ellas.

Cuando dije que mi poesía era *mía, en mí*, sostuve la primera condición de mi existir, sin pretensión ninguna de causar sectarismo en mente o voluntad ajena, y en un intenso amor a lo absoluto de la belleza.

Al seguir la vida que Dios me ha concedido tener, he buscado expresarme lo más noble y altamente en mi comprensión: voy diciendo mi verso con una modestia tan orgullosa, que solamente las espigas comprenden, y cultivo, entre otras flores, una rosa rosada, concreción de alba, capullo de porvenir, entre el bullicio de la literatura.

Si en estos cantos hay política, es porque aparece universal. Y si encontráis versos a un presidente, es porque son un clamor continental. Mañana podremos ser yanquis (y es lo más probable); de todas maneras, mi protesta queda escrita sobre las alas de los inmaculados cisnes, tan ilustres como Júpiter.

---

idilio *Evangeline* en hexámetros dactílicos. Para la métrica de Rubén Darío, cfr. A. Oliver Belmás, *Este otro Rubén Darío*. Barcelona, Aedos, 1960.

[4] *género chico:* comedias en un acto con música y temas populares, de mucho éxito a finales del siglo pasado y comienzos del presente.

[Yo soy aquel que ayer...]

Yo soy aquel que ayer no más decía
el verso azul y la canción profana[5],
en cuya noche un ruiseñor había
que era alondra de luz por la mañana.

El dueño fui de mi jardín de sueño,
lleno de rosas y de cisnes vagos;
el dueño de las tórtolas, el dueño
de góndolas y liras en los lagos;

y muy siglo diez y ocho y muy antiguo
y muy moderno; audaz, cosmopolita;
con Hugo fuerte y con Verlaine ambiguo[6],
y una sed de ilusiones infinita.

Yo supe de dolor desde mi infancia;
mi juventud..., ¿fue juventud la mía?,
sus rosas aún me dejan su fragancia,
una fragancia de melancolía...

---

[5] *el verso... profana:* alusiones a dos libros anteriores del
poeta: *Azul* y *Prosas Profanas.*

[6] *con Hugo... ambiguo:* en este verso declara Darío su afini-
dad con dos poetas franceses muy diferentes: Víctor Hugo
(1802-1885) y el simbolista Paúl Verlaine. Véase nota al «Responso a Verlaine».

Potro sin freno se lanzó mi instinto,
mi juventud montó potro sin freno;
iba embriagada y con puñal al cinto;
si no cayó, fue porque Dios es bueno.

En mi jardín se vio una estatua bella;
se juzgó mármol y era carne viva;
un alma joven habitaba en ella,
sentimental, sensible, sensitiva.

Y tímida ante el mundo, de manera
que, encerrada en silencio, no salía
sino cuando en la dulce primavera
era la hora de la melodía...

Hora de ocaso y de discreto beso;
hora crepuscular y de retiro;
hora de madrigal[7] y de embeleso,
de «te adoro», de «¡ay!» y de suspiro.

Y entonces era en la dulzaina un juego
de misteriosas gamas cristalinas,
un renovar de notas del Pan griego
y un desgranar de músicas latinas,

con aire tal y con ardor tan vivo,
que a la estatua nacían de repente
en el muslo viril patas de chivo
y dos cuernos de sátiro en la frente.

Como la Galatea gongorina[8]
me encantó la marquesa verleniana[9],

---

[7] *hora de madrigal:* hora de amor.
[8] *la Galatea gongonina:* personaje del poema de Luis de Góngora, «Fábula de Polifemo y Galatea». En el mito era una de las nereidas. Amada por Polifemo, cíclope de Sicilia, ella lo rechazó y se entregó a Acis, pastor hijo de Pan y una ninfa. Polifemo, enfurecido, aplastó a su rival con una enorme piedra.
[9] *la marquesa verleniana:* esta figura representa a la mujer de mundo como opuesta a la mujer pastoril, Galatea.

y así juntaba a la pasión divina
una sensual hiperestesia [10] humana;

todo ansia, todo ardor, sensación pura
y vigor natural; y sin falsía,
y sin comedia y sin literatura...:
si hay un alma sincera, ésa es la mía.

La torre de marfil tentó mi anhelo;
quise encerrarme dentro de mí mismo,
y tuve hambre de espacio y sed de cielo
desde las sombras de mi propio abismo.

Como la esponja que la sal satura
en el jugo del mar, fue el dulce y tierno
corazón mío, henchido de amargura
por el mundo, la carne y el infierno.

Mas, por gracia de Dios, en mi conciencia
el Bien supo elegir la mejor parte;
y si hubo áspera hiel en mi existencia,
melificó toda acritud el Arte.

Mi intelecto libré de pensar bajo,
bañó el agua castalia el alma mía,
peregrinó mi corazón y trajo
de la sagrada selva la armonía.

¡Oh, la selva sagrada! ¡Oh, la profunda
emanación del corazón divino
de la sagrada selva! ¡Oh, la fecunda
fuente cuya virtud vence al destino!

Bosque ideal que lo real complica,
allí el cuerpo arde y vive y Psiquis [11] vuela;
mientras abajo el sátiro fornica,
ebria de azul deslíe Filomela [12]

---

[10] *hiperestesia:* sensibilidad patológica.
[11] *Psiquis:* muchacha que en el mito personifica el alma; fue
amada por Cupido y hecha inmortal por Júpiter.
[12] *ebria... Filomela:* embriagado de cielo desgrana el ruiseñor
sus dulces cantos.

perla de ensueño y música amorosa
en la cúpula en flor del laurel verde,
Hipsipila [13] sutil liba en la rosa,
y la boca del fauno el pezón muerde.

Allí va el dios en celo tras la hembra
y la caña [14] de Pan se alza del lodo;
la eterna vida sus semillas siembra,
y brota la armonía del gran Todo.

El alma que entra allí debe ir desnuda,
temblando de deseo y fiebre santa,
sobre cardo heridor y espina aguda:
así sueña, así vibra y así canta.

Vida, luz y verdad, tal triple llama
produce la interior llama infinita;
el Arte puro como Cristo exclama:
Ego sum lux et veritas et vita! [15]

Y la vida es misterio; la luz ciega
y la verdad inaccesible asombra;
la adusta perfección jamás se entrega,
y el secreto ideal duerme en la sombra.

Por eso ser sincero es ser potente:
de desnuda que está, brilla la estrella;
el agua dice el alma de la fuente
en la voz de cristal que fluye de ella.

Tal fue mi intento, hacer del alma pura
mía, una estrella, una fuente sonora,
con el horror de la literatura
y loco de crepúsculo y de aurora.

---

[13] *Hipsipila:* mariposa.
[14] *caña:* flauta.
[15] *Ego... vital!:* «Yo soy la luz y la verdad y la vida», palabras de Cristo según el evangelio de San Juan, XIV, 6.

Del crepúsculo azul que da la pauta
que los celestes éxtasis inspira;
bruma y tono menor—¡toda la flauta!,
y Aurora, hija del Sol—¡toda la lira!

Pasó una piedra que lanzó una honda;
pasó una flecha que aguzó un violento.
La piedra de la honda fue a la onda,
y la flecha del odio fuese al viento.

La virtud está en ser tranquilo y fuerte;
con el fuego interior todo se abrasa;
se triunfa del rencor y de la muerte,
y hacia Belén..., ¡la caravana pasa!

Salutación del optimista

Ínclitas razas ubérrimas [16], sangre de Hispania fecunda,
espíritus fraternos, luminosas almas, ¡salve!
Porque llega el momento en que habrán de cantar
    nuevos himnos
lenguas de gloria. Un vasto rumor llena los ámbitos;
mágicas ondas de vida van renaciendo de pronto;
retrocede el olvido, retrocede engañada la muerte;
se anuncia un reino nuevo, feliz sibila [17] sueña,
y en la caja pandórica [18] de que tantas desgracias surgieron
encontramos de súbito, talismánica, pura, riente,
cual pudiera decirla en sus versos Virgilio divino,
la divina reina de luz, ¡la celeste Esperanza!

Pálidas indolencias, desconfianzas fatales que a
    tumba
o a perpetuo presidio, condenasteis al noble
    entusiasmo,
ya veréis el salir del sol en un triunfo de liras,

---

[16] *ínclitas razas ubérrimas:* ilustres y fértiles razas.
[17] *sibila:* mujer a quien los griegos atribuían el don de adivinar el porvenir.
[18] *caja pandórica:* caja de Pandora, primera mujer creada por Vulcano, el dios del fuego. Zeus le dio una caja que contenía todos los males. Cuando su marido Epimeteo abrió la caja esos males se esparcieron por la tierra y no quedó más que la esperanza.

96

mientras dos continentes, abonados de huesos
      gloriosos,
del Hércules antiguo la gran sombra soberbia
      evocando,
digan al orbe: la alta virtud resucita,
que a la hispana progenie hizo dueña de siglos.

Abominad la boca que predice desgracias eternas,
abominad los ojos que ven sólo zodíacos funestos,
abominad las manos que apedrean las ruinas ilustres
o que la tea empuñan o la daga suicida.
Siéntense sordos ímpetus en las entrañas del mundo,
la inminencia de algo fatal hoy conmueve la tierra;
fuertes colosos caen, se desbandan bicéfalas águilas,
y algo se inicia como vasto social cataclismo
sobre la faz del orbe. ¿Quién dirá que las savias
      dormidas
no despierten entonces en el tronco del roble gigante
bajo el cual se exprimió la ubre de la loba romana? [19]
¿Quién será el pusilánime que al vigor español niegue
      músculos
y que al alma española juzgase áptera [20] y ciega y tullida?
No es Babilonia ni Nínive [21] enterrada en olvido y
      en polvo
ni entre momias y piedras, reina que habita el
      sepulcro,
la nación generosa, coronada de orgullo inmarchito,
que hacia el lado del alba fija las miradas ansiosas,
ni la que, tras los mares en que yace sepulta la
      Atlántida [22],
tiene su coro de vástagos, altos, robustos y fuertes.

---

[19] *las savias... romana:* la savia representa la sangre del pueblo
romano («roble gigante»).
[20] *áptera:* sin alas.
[21] *Nínive:* antigua ciudad de Siria famosa por su palacio y
sus murallas. Los profetas auguraron su destrucción.
[22] *Atlántida:* en la leyenda griega era una gran isla situada
en el mar del Occidente, territorio de una raza poderosa. Platón
describe este «continente perdido» como el estado ideal.

Únanse, brillen, secúndense tantos vigores dispersos;
formen todos un solo haz de energía ecuménica.
Sangre de Hispania fecunda, sólidas, ínclitas razas,
muestren los dones pretéritos que fueron antaño su
        triunfo.
Vuelva el antiguo entusiasmo, vuelva el espíritu
        ardiente
que regará lenguas de fuego en esa epifanía.
Juntas las testas ancianas ceñidas de líricos lauros
y las cabezas jóvenes que la alta Minerva decora,
así los manes [23] heroicos de los primitivos abuelos,
de los egregios padres que abrieron el surco pristino,
sienten los soplos agrarios de primaverales retornos
y el rumor de espigas que inició la labor triptolémica [24].

Un continente y otro renovando las viejas
        prosapias,
en espíritu unidos, en espíritu y ansias y lengua,
ven llegar el momento en que habrán de cantar
        nuevos himnos.
La latina estirpe verá la gran alba futura,
y en un trueno de música gloriosa, millones de labios
saludarán la espléndida luz que vendrá del Oriente,
Oriente augusto, en donde todo lo cambia y renueva
la eternidad de Dios, la actividad infinita.
Y así sea Esperanza la visión permanente en
        nosotros,
→ ¡ínclitas razas ubérrimas, sangre de Hispania fecunda!

---

[23] *manes:* espíritus de los muertos.
[24] *triptolémica:* de Triptolemo, héroe mítico griego que inventó el arado y la agricultura.

Al rey Óscar [25]

Le Roi de Suède et de Norvège,
après avoir visité Saint-Jean-de-Luz,
s'est rendu à Hendaye et à Fonterra-
bie. En arrivant sur le sol espagnol,
il a crié: «Vive l'Espagne!» [26]

(Le Figaro, mars 1899)

Así, Sire, en el aire de la Francia nos llega
la paloma de plata [27] de Suecia y de Noruega,
que trae en vez de olivo una rosa de fuego.

Un búcaro [28] latino, un noble vaso griego
recibirá el regalo del país de la nieve.
¡Que a los reinos boreales el patrio viento lleve
otra rosa de sangre y de luz españolas;
pues sobre la sublime hermandad de las olas,
al brotar tu palabra, un saludo le envía
al sol de medianoche el sol de Mediodía!

[25] *Óscar II* (1829-1907): Rey de Suecia y de Noruega, muy
culto y muy amado por su pueblo. Como el poema muestra,
Darío le admiraba mucho.

[26] *«Le Roi... l'Espagne!»*: después de visitar San Juan de Luz,
el rey de Suecia y de Noruega pasó a Hendaya y Fuenterrabía.
Al poner el pie en tierra española, exclamó: «¡Viva España!»

[27] *paloma de plata:* paloma blanca, símbolo de paz.

[28] *búcaro... griego:* con estos símbolos greco-latinos se representa a España, mientras el país de la nieve es Suecia.

Si Segismundo siente pesar, Hamlet [29] se inquieta.
El Norte ama las palmas; y se junta el poeta
de fjord con el del carmen [30], porque el mismo oriflama
es de azur. Su divina cornucopia derrama,
sobre el polo y el trópico, la Paz; y el orbe gira
en un ritmo uniforme por una propia lira:
el Amor. Allá surge Sigurd [32] que al Cid se aúna;
cerca de Dulcinea brilla el rayo de luna;
y la musa de Bécquer del ensueño es esclava
bajo un celeste palio de luz escandinava.

Sire de ojos azules, gracias: por los laureles
de cien bravos vestidos de honor; por los claveles
de la tierra andaluza y la Alhambra del moro;
por la sangre solar de una raza de oro;
por la armadura antigua y el yelmo de la gesta;
por las lanzas que fueron una vasta floresta
de gloria y que pasaron Pirineos y Andes;
por Lepanto y Otumba [33], por el Perú, por Flandes;
por Isabel que cree, por Cristóbal que sueña
y Velázquez que pinta y Cortés que domeña;
por el país sagrado en que Herakles afianza
sus macizas columnas de fuerza y esperanza,
mientras Pan trae el ritmo con la egregia siringa
que no hay trueno que apague ni tempestad que
    extinga;
por el león simbólico y la Cruz, gracias, Sire.

---

[29] *Segismundo... Hamlet:* Darío personifica a cada país en su
héroe literario más característico.
[30] *fjord... carmen:* ahora el paralelismo se establece por medio
de localizaciones espaciales. Nótese el empleo de la grafía noruega
fjord en lugar del español fiordo.
[31] *oriflama:* cualquier estandarte, pendón o bandera que se despliega al viento.
[32] *Sigurd:* héroe de una saga nórdica, a quien se identifica con
el alemán Sigfrido.
[33] *Lepanto y Otumba:* en 1751 los españoles derrotaron a los
turcos en un combate naval en el golfo de Lepanto. En la batalla de Otumba, en 1520, los españoles triunfaron sobre los aztecas.

¡Mientras el mundo aliente, mientras la esfera gire,
mientras la onda cordial alimente un ensueño,
mientras haya una viva pasión, un noble empeño,
un buscado imposible, una imposible hazaña,
una América oculta que hallar, vivirá España!

¡Y pues tras la tormenta vienes, de peregrino
real, a la morada que entristeció el destino,
la morada que viste luto sus puertas abra
al purpúreo y ardiente vibrar de tu palabra:
y que sonría, oh rey Oscar, por un instante,
y tiemble en la flor áurea el más puro brillante
para quien sobre brillos de corona y de nombre,
con labios de monarca lanza un grito de hombre!

A Roosevelt [34]

Es con voz de la Biblia, o verso de Walt Whitman,
que habría que llegar hasta ti, Cazador,
primitivo y moderno, sencillo y complicado,
con un algo de Washington y cuatro de Nemrod [35].
Eres los Estados Unidos,
eres el futuro invasor
de la América ingenua que tiene sangre indígena,
que aún reza a Jesucristo y aún habla en español.

Eres soberbio y fuerte ejemplar de tu raza;
eres culto, eres hábil; te opones a Tolstoy [36].
Y domando caballos, o asesinando tigres,
eres un Alejandro-Nabucodonosor.
(Eres un profesor de Energía,
como dicen los locos de hoy.)

Crees que la vida es incendio,
que el progreso es erupción,

---

[34] *Theodore Roosevelt* (1859-1919): presidente de los Estados
Unidos, bajo cuyo mando se firmó el tratado Hays-Varilla en 1903
que concedió a los Estados Unidos la soberanía en la zona del
canal de Panamá, interfiriéndose así en la independencia de los
países hispanoamericanos.
[35] *cuatro de Nemrod:* cuatro partes de Nemrod, el cazador legendario, símbolo de la tiranía.
[36] *León Tolstoy* (1828-1910): el gran novelista ruso predicó la
reforma social, de ahí que Roosvelt se oponga a él.

que en donde pones la bala
el porvenir pones.

No.

Los Estados Unidos son potentes y grandes.
Cuando ellos se estremecen hay un hondo temblor
que pasa por las vértebras enormes de los Andes.
Si clamáis, se oye como el rugir del león.
Ya Hugo a Grant [37] le dijo: «Las estrellas son
    vuestras.»
(Apenas brilla, alzándose, el argentino sol
y la estrella chilena se levanta... [38]) Sois ricos.
Juntáis al culto de Hércules el culto de Mammón [39];
y alumbrando el camino de la fácil conquista,
la Libertad levanta su antorcha en Nueva York.

Mas la América nuestra, que tenía poetas [40]
desde los viejos tiempos de Netzahualcoyotl [40],
que ha guardado las huellas de los pies de gran Baco [41],
que el alfabeto pánico en un tiempo aprendió;
que consultó los astros, que conoció la Atlántida
cuyo nombre nos llega resonando en Platón,
que desde los remotos momentos de su vida
vive de luz, de fuego, de perfume, de amor,
la América del grande Moctezuma, del Inca,
la América fragante de Cristóbal Colón,
la América católica, la América española,
la América en que dijo el noble Guatemoc [42]:

---

[37] *Grant:* general jefe de los ejércitos del Norte, vencedores
en la guerra de Secesión de los Estados Unidos; luego presidente
de la República.

[38] *el argentino... levanta:* el sol y la estrella son los símbolos
respectivos de las banderas de Argentina y Chile.

[39] *Mammón:* en la Biblia, el falso dios de la riqueza y de la
avaricia.

[40] *Netzahualcoyotl:* guerrero azteca y el primer poeta mejicano
cuyo nombre se conoce.

[41] *Baco:* dios del vino de quien la leyenda decía que aprendió
de las musas el alfabeto de Pan.

[42] *Guatemoc:* también llamado Guatemocín por los españoles
Sobrino de Moctezuma y último emperador de los aztecas. Mu-

«Yo no estoy en un lecho de rosas»; esa América
que tiembla de huracanes y que vive de amor,
hombres de ojos sajones y alma bárbara, vive.
Y sueña. Y ama, y vibra, y es la hija del Sol.
—Tened cuidado. ¡Vive la América española!
Hay mil cachorros sueltos[43] del León Español.
Se necesitaría, Roosevelt, ser, por Dios mismo,
el Riflero terrible y el fuerte Cazador,
para poder tenernos en vuestras férreas garras.

Y, pues contáis con todo, falta una cosa: ¡Dios!

---

rió en 1525. La famosa frase citada en el poema la dijo mientras
era torturado por los españoles que le quemaron los pies para
que revelara dónde ocultaba su tesoro.

[43] *cachorros sueltos:* metáfora para referirse a las naciones his-
panoamericanas.

[¡Torres de Dios!...]

¡Torres de Dios! ¡Poetas!
¡Pararrayos celestes
que resistís las duras tempestades,
como crestas escuetas [44],
como picos agrestes,
rompeolas de las eternidades!

La mágica esperanza anuncia un día
en que sobre la roca de armonía
expirará la pérfida sirena.
¡Esperad, esperemos todavía!

Esperad todavía.
El bestial elemento se solaza
en el odio a la sacra poesía
y se arroja baldón [45] de raza a raza.
La insurrección de abajo
tiende a los Excelentes [46].
El caníbal codicia su tasajo [47]
con roja encía y afilados dientes.

---

[44] *escuetas:* desnudas.
[45] *baldón:* en este contexto, insultos.
[46] *tiende... Excelentes:* dirigida contra los mejores.
[47] *tasajo:* pedazo de carne seco y salado.

Torres, poned al pabellón [48] sonrisa.
Poned, ante ese mal y ese recelo,
una soberbia insinuación de brisa
y una tranquilidad de mar y cielo...

---

[48] *pabellón:* **bandera.**

"Spes" [49]

Jesús, incomparable perdonador de injurias,
óyeme Sembrador de trigo, dame el tierno
pan de tus hostias; dame, contra el sañudo infierno,
una gracia lustral de iras y lujurias.

Dime que este espantoso horror de la agonía
que me obsede [50], es no más de mi culpa nefanda;
que al morir hallaré la luz de un nuevo día
y que entonces oiré mi «¡Levántate y anda!»

---

[49] «*Spes*»: esperanza.
[50] *obsede:* de obseder, obsesionar.

Los cisnes

A Juan R. Jiménez

I

¿Qué signo haces, oh Cisne, con tu encorvado cuello
al paso de los tristes y errantes soñadores?
¿Por qué tan silencioso de ser blanco y ser bello,
tiránico a las aguas e impasible a las flores?

Yo te saludo ahora como en versos latinos
te saludara antaño Publio Ovidio Nasón.
Los mismos ruiseñores cantan los mismos trinos,
y en diferentes lenguas es la misma canción.

A vosotros mi lengua no debe ser extraña.
A Garcilaso visteis, acaso, alguna vez...
Soy un hijo de América, soy un nieto de España...
Quevedo pudo hablaros en verso en Aranjuez.

Cisnes, los abanicos de vuestras alas frescas
den a las frentes pálidas sus caricias más puras,
y alejen vuestras blancas figuras pintorescas
de nuestras mentes tristes las ideas obscuras.

Brumas septentrionales nos llenan de tristezas,
se mueren nuestras rosas, se agostan nuestras palmas,
casi no hay ilusiones para nuestras cabezas,
y somos los mendigos de nuestras pobres almas.

Nos predican [51] la guerra con águilas feroces,
gerifaltes [52] de antaño revienen a los puños,
mas no brillan las glorias de las antiguas hoces,
ni hay Rodrigos ni Jaimes, ni hay Alfonsos ni Nuños.

Faltos de los alientos que dan las grandes cosas,
¿qué haremos los poetas sino buscar tus lagos?
A falta de laureles son muy dulces las rosas,
y a falta de victorias busquemos los halagos.

La América española como la España entera
fija está en el Oriente de su fatal destino;
yo interrogo a la Esfinge que el porvenir espera
con la interrogación de tu cuello divino.

¿Seremos entregados a los bárbaros fieros?
¿Tantos millones de hombres hablaremos inglés?
¿Ya no hay nobles hidalgos ni bravos caballeros?
¿Callaremos ahora para llorar después?

He lanzado mi grito, Cisnes, entre vosotros,
que habéis sido los fieles en la desilusión,
mientras siento una fuga de americanos potros
y el estertor postrero de un caduco león...

... Y un Cisne negro dijo: «La noche anuncia el día.»
Y uno blanco: «¡La aurora es inmortal, la aurora
es inmortal!» ¡Oh tierras de sol y de armonía,
aún guarda la Esperanza la caja de Pandora!

---

[51] *Nos predican:* los «ellos» implícitos son los Estados Unidos.
[52] *gerifaltes:* halcones.

II

Por un momento, ¡oh Cisne!, juntaré mis anhelos
a los de tus dos alas que abrazaron a Leda,
y a mi maduro ensueño, aún vestido de seda,
dirás, por los Dioscuros [53], la gloria de los cielos.

Es el otoño. Ruedan de la flauta consuelos.   50
Por un instante, ¡oh Cisne!, en la obscura alameda
sorberé entre dos labios lo que el Pudor me veda,
y dejaré mordidos Escrúpulos y Celos.

Cisne, tendré tus alas blancas por un instante,
y el corazón de rosa que hay en tu dulce pecho   55
palpitará en el mío con su sangre constante.

Amor será dichoso, pues estará vibrante
el júbilo que pone al gran Pan en acecho
mientras su ritmo esconde la fuente de diamante.

III

¡Antes de todo, gloria a ti, Leda!   60
Tu dulce vientre cubrió de seda
el Dios. ¡Miel y oro sobre la brisa!
Sonaban alternativamente
flauta y cristales, Pan y la fuente.
¡Tierra era canto; Cielo, sonrisa!   65

Ante el celeste, supremo acto,
dioses y bestias hicieron pacto.
Se dio a la alondra la luz del día,
se dio a los búhos sabiduría,

---

[53] *Dioscuros:* en el mito griego Castor y Pollux, hijos gemelos
de Leda y Zeus. Después de su muerte se convirtieron en la constelación Géminis.

y melodía al ruiseñor.
A los leones fue la victoria,
para las águilas toda la gloria,
y a las palomas todo el amor.

Pero vosotros sois los divinos
príncipes. Vagos como las naves,
inmaculados como los linos,
maravillosos como las aves.

En vuestros picos tenéis las prendas
que manifiestan corales puros.
Con vuestros pechos abrís las sendas
que arriba indican los Dïoscuros.

Las dignidades de vuestros actos,
eternizadas en lo infinito,
hacen que sean ritmos exactos,
voces de ensueño, luces de mito.

De orgullo olímpico sois el resumen,
¡oh blancas urnas de la armonía!
Ebúrneas joyas que anima un numen [54]
con su celeste melancolía.

¡Melancolía de haber amado,
junto a la fuente de la arboleda,
el luminoso cuello estirado
entre los blancos muslos de Leda!

---

[54] *Ebúrneas... numen:* joyas de marfil que una deidad anima.

La dulzura del ángelus

La dulzura del ángelus matinal y divino
que diluyen ingenuas campanas provinciales,
en un aire inocente a fuerza de rosales,
de plegaria, de ensueño de virgen y de trino

de ruiseñor, opuesto todo al rudo destino
que no cree en Dios... El áureo ovillo vespertino
que la tarde devana tras opacos cristales
por tejer la inconsútil [55] tela de nuestros males,

todos hechos de carne y aromados de vino...
Y esta atroz amargura de no gustar de nada,
de no saber adónde dirigir nuestra prora,

mientras el pobre esquife en la noche cerrada
va en las hostiles olas huérfano de la aurora...
(¡Oh süaves campanas entre la madrugada!)

---

[55] *inconsútil:* sin costura.

Canción de otoño en primavera

A G. Martínez Sierra

Juventud, divino tesoro,
¡ya te vas para no volver!
Cuando quiero llorar, no lloro...
y a veces lloro sin querer...

Plural ha sido la celeste
historia de mi corazón.
Era una dulce niña, en este
mundo de duelo y aflicción.

Miraba como el alba pura;
sonreía como una flor.
Era su cabellera obscura
hecha de noche y de dolor.

Yo era tímido como un niño.
Ella, naturalmente, fue,
para mi amor hecho de armiño,
Herodías y Salomé [56]...

---

[56] *Herodías y Salomé:* Herodías, mujer de Herodes, que hizo que su hija Salomé pidiera a su padrastro, que deseaba a la muchacha, la cabeza de San Juan Bautista.

Juventud, divino tesoro,
¡ya te vas para no volver...!
Cuando quiero llorar, no lloro,
y a veces lloro sin querer...

La otra fue más sensitiva,
y más consoladora y más
halagadora y expresiva,
cual no pensé encontrar jamás.

Pues a su continua ternura
una pasión violenta unía.
En un peplo [57] de gasa pura
una bacante [58] se envolvía...

En sus brazos tomó mi ensueño
y lo arrulló como a un bebé...
Y le mató, triste y pequeño,
falto de luz, falto de fe...

Juventud, divino tesoro,
¡te fuiste para no volver!
Cuando quiero llorar, no lloro,
y a veces lloro sin querer...

Otra juzgó que era mi boca
el estuche de su pasión,
y que me roería, loca,
con sus dientes el corazón,

poniendo en un amor de exceso
la mira de su voluntad,
mientras eran abrazo y beso
síntesis de la eternidad;

---

[57] *peplo:* vestido de mujer, sin mangas, muy suelto, utilizado
por las mujeres griegas.
[58] *bacante:* sacerdotisa de Baco, dios del vino.

y de nuestra carne ligera
imaginar siempre un Edén,
sin pensar que la Primavera
y la carne acaban también...

Juventud, divino tesoro,
¡ya te vas para no volver!
Cuando quiero llorar, no lloro,
y a veces lloro sin querer.

¡Y las demás!, en tantos climas,
en tantas tierras, siempre son,
si no pretexto de mis rimas,
fantasmas de mi corazón.

En vano busqué a la princesa
que estaba triste de esperar.
La vida es dura. Amarga y pesa.
¡Ya no hay princesa que cantar!

Mas a pesar del tiempo terco,
mi sed de amor no tiene fin;
con el cabello gris me acerco
a los rosales del jardín...

Juventud, divino tesoro,
¡ya te vas para no volver...!
Cuando quiero llorar, no lloro,
y a veces lloro sin querer...

¡Mas es mía el Alba de oro!

Leda [59]

El cisne en la sombra parece de nieve;
su pico es de ámbar, del alba al trasluz;
el suave crepúsculo que pasa tan breve
las cándidas alas sonrosa de luz.

Y luego, en las ondas del lago azulado,
después que la aurora perdió su arrebol,
las alas tendidas y el cuello enarcado,
el cisne es de plata, bañado de sol.

Tal es, cuando esponja las plumas de seda,
olímpico pájaro herido de amor,
y viola en las linfas sonoras a Leda,
buscando su pico los labios en flor.

Suspira la bella desnuda y vencida,
y en tanto que al aire sus quejas se van,
del fondo verdoso de fronda tupida
chispean turbados los ojos de Pan.

---

[59] *Leda:* en este poema se describe la posesión de la hermosa
por Zeus en figura de cisne.

[¡Oh, miseria de toda lucha...]

¡Oh, miseria de toda lucha por lo finito!
Es como el ala de la mariposa
nuestro brazo que deja el pensamiento escrito.
Nuestra infancia vale la rosa,
el relámpago nuestro mirar,
y el ritmo que en el pecho
nuestro corazón mueve,
es un ritmo de onda de mar,
o un caer de copo de nieve,
o el del cantar
del ruiseñor,
que dura lo que dura el perfumar
de su hermana la flor.
¡Oh, miseria de toda lucha por lo finito! ←
El alma que se advierte sencilla y mira claramente la gracia pura de la luz cara a cara,
como el botón de rosa, como la coccinela [60],
esa alma es la que al fondo del infinito vuela.
El alma que ha olvidado la admiración, que sufre
en la melancolía agria, olorosa a azufre,
de envidiar malamente y duramente, anida
en un nido de topos. Es manca. Está tullida.
¡Oh, miseria de toda lucha por lo finito!

---

[60] *coccinela:* palabra italiana: mariquita.

[¡Carne, celeste carne...]

¡Carne, celeste carne de la mujer! Arcilla
—dijo Hugo—; ambrosía más bien, ¡oh maravilla!,
la vida se soporta,
tan doliente y tan corta,
solamente por eso:
roce, mordisco o beso
en ese pan divino
para el cual nuestra sangre es nuestro vino.
En ella está la lira,
en ella está la rosa,
en ella está la ciencia armonïosa,
en ella se respira
el perfume vital de toda cosa.

Eva y Cipris [61] concentran el misterio
del corazón del mundo.
Cuando el áureo Pegaso [62]
en la victoria matinal se lanza
con el mágico ritmo de su paso
hacia la vida y hacia la esperanza,
si alza la crin y las narices hincha
y sobre las montañas pone el casco sonoro

[61] *Cipris:* nombre dado a Afrodita, diosa del amor y de la
belleza.
[62] *Pegaso:* caballo alado que se alzó de la sangre de Medusa
cuando Perseo le cortó la cabeza.

y hacia la mar relincha,
y el espacio se llena
de un gran temblor de oro,
es que ha visto desnuda a Anadiomena.

Gloria, ¡oh Potente a quien las sombras temen!
¡Que las más blancas tórtolas te inmolen,
pues por ti la floresta está en el polen
y el pensamiento en el sagrado semen!

Gloria, ¡oh Sublime, que eres la existencia
por quien siempre hay futuros en el útero eterno!
¡Tu boca sabe al fruto del árbol de la Ciencia
y al torcer tus cabellos apagaste el infierno!

Inútil es el grito de la legión cobarde
del interés, inútil el progreso
yankee, si te desdeña.
Si el progreso es de fuego, por ti arde.
¡Toda lucha del hombre va a tu beso,
por ti se combate o se sueña!

Pues en ti existe Primavera para el triste,
labor gozosa para el fuerte,
néctar, ánfora, dulzura amable.
¡Porque en ti existe
el placer de vivir hasta la muerte
ante la eternidad de lo probable...!

119

Nocturno

A Mariano de Cavia

Los que auscultasteis el corazón de la noche,
los que por el insomnio tenaz habéis oído
el cerrar de una puerta, el resonar de un coche
lejano, un eco vago, un ligero rüido...

En los instantes del silencio misterioso,
cuando surgen de su prisión los olvidados,
en la hora de los muertos, en la hora del reposo,
sabréis leer estos versos de amargor impregnados...

Como en un vaso vierto en ellos mis dolores
de lejanos recuerdos y desgracias funestas,
y las tristes nostalgias de mi alma, ebria de flores,
y el duelo de mi corazón, triste de fiestas.

Y el pesar de no ser lo que yo hubiera sido,
la pérdida del reino que estaba para mí,
el pensar que un instante pude no haber nacido,
¡y el sueño que es mi vida desde que yo nací!

Todo esto viene en medio del silencio profundo
en que la noche envuelve la terrena ilusión,
y siento como un eco del corazón del mundo
que penetra y conmueve mi propio corazón.

Lo fatal

A René Pérez

Dichoso el árbol que es apenas sensitivo,
y más la piedra dura, porque ésa ya no siente,
pues no hay dolor más grande que el dolor de ser vivo,
ni mayor pesadumbre que la vida consciente.

Ser, y no saber nada, y ser sin rumbo cierto,
y el temor de haber sido y un futuro terror...
Y el espanto seguro de estar mañana muerto,
y sufrir por la vida y por la sombra y por

lo que no conocemos y apenas sospechamos,
y la carne que tienta con sus frescos racimos
y la tumba que aguarda con sus fúnebres ramos,
¡y no saber adónde vamos,
ni de dónde venimos...!

El canto errante

Dilucidaciones

I

El mayor elogio hecho recientemente a la Poesía y a los poetas ha sido expresado en lengua «anglosajona» por un hombre insospechable de extraordinarias complacencias con las nueve Musas. Un yanqui. Se trata de Teodoro Roosevelt.

Ese Presidente de República juzga a los armoniosos portaliras con mucha mejor voluntad que el filósofo Platón. No solamente les corona de rosas; mas sostiene su utilidad para el Estado y pide para ellos la pública estimación y el reconocimiento nacional. Por esto comprenderéis que el terrible cazador es un varón sensato.

Otros poderosos de la tierra, príncipes, políticos, millonarios, manifiestan una plausible deferencia por el dios cuyo arco es de plata, y por sus sacerdotes o representantes en una tierra cada día más vibrante de automóviles... y de bombas. Hay quienes, equivocados, juzgan en decadencia el noble oficio de rimar y casi desaparecida la consoladora vocación de soñar. Esto no es ocasionado por el *sport,* hoy en creciente auge. Las más ilustres escopetas dejan en paz a los cisnes. La culpa de ese temor, de esa duda sobre la supervivencia de los antiguos ideales, la tiene, entre nosotros, una hora de desencanto que, en la flor de la juventud —hace ya algunos lustros— sufrió un eminente colega —he nombrado

125

a *Gedeón*[1]—, cuando, entre los intelectuales de su cenáculo, presentó la célebre proposición sobre «si la forma poética está llamada a desaparecer». ¡Ah, triste profesor de estética, aunque siempre regocijado y poliforme periodista! La forma poética, es decir, la de la rosada rosa, la de la cola del pavo real, la de los lindos ojos y frescos labios de las sabrosas mozas, no desaparece bajo la gracia del sol. Y en cuanto a la que preocupó siempre a líricos dómines[2], desde el divino Horacio a D. Josef Mamerto Gómez Hermosilla[3], ella sigue, persiste, se propaga y hasta se revoluciona, con justo escándalo de nuestro venerable maestro Benot, cuya sabiduría respeto y cuya intransigencia hasta deseos me inspira de aplaudir. Aplaudamos siempre lo sincero, lo consciente, y lo apasionado sobre todo.

II

No. La forma poética no está llamada a desaparecer, antes bien a extenderse, a modificarse, a seguir su desenvolvimiento en el eterno ritmo de los siglos. Podrá no haber poetas, pero siempre habrá poesía, dijo uno de los puros. Siempre habrá poesía y siempre habrá poetas. Lo que siempre faltará será la abundancia de los comprendedores, porque, como excelentemente lo dice el Señor de Montaigne[4], y *Azorín* mi amigo puede certificarlo, «*nous avons bien plus de poètes que de juges et interprètes de poésie; il est plus aysé de la faire que de la cognoistre*»[5]. Y agrega: «*A certaine mesure basse, on la*

---

[1] *Gedeón:* personaje literario y título de un periódico satírico madrileño del siglo XIX.

[2] *dómines:* pedagogos.

[3] *Hermosilla* (1771-1837): preceptista y profesor de griego y retórica. Compuso el *Arte de hablar en prosa y en verso* y *Principios de Gramática General.*

[4] *Montaigne:* Michel de Montaigne (1533-1592). Gran escritor francés. Autor de *Los Ensayos.*

[5] *nous... cognoistre:* tenemos muchos más poetas que jueces y críticos de poesía; es más fácil escribirla que entenderla.

peult juger par les préceptes et par art: mais la bonne, la suprème, la divine, est au dessus des règles et de la raison» [6].

Quizá porque entre nosotros no es frecuentemente servida la divina, la buena, la suprema, se usa, por lo general, la *mesure basse*. Mas no hace sino aumentar el gusto por los conceptos métricos. La alegría tradicional tiene sus representantes en regocijados versificadores, en casi todos los diarios. El órgano serio y grave, el *Temps* madrileño, tiene en su crítico autorizado, en su Gaston Deschamps [7], vamos al decir, un espíritu jovial que, a pesar de sus tareas trascendentales, no desdeña los entretenimientos de la parodia.

Quedamos, pues, en que la hermandad de los poetas no ha decaído, y aun pudiera renovar algún trecenazgo [8]. Asuntos estéticos acaloran las simpatías y las antipatías. Las violencias o las injusticias provocan naturales reacciones. Los más absurdos propósitos se confunden con generosas campañas de ideas. Mucha parte del público no sabe de lo que se trata, pues los encargados de informarla no desean en su mayoría, informarse a sí mismos. El diletantismo de otros es poco eficaz en la mediocracia [9] pensante. Una afligente audacia confunde mal aprendidos nombres y mal escuchadas nociones del vivir de tales o cuales centros intelectuales extranjeros. Los nuevos maestros se dedican, más que a luchar en compañía de las nuevas falanges, al cultivo de lo que los teólogos llaman *appetitus inordinatus propriae excellentiae* [10].

Existe una *élite,* es indudable, como en todas partes, y a ella se debe la conservación de una íntima voluntad de pura belleza, de incontaminado entusiasmo. Mas en

---

[6] *A certaine... raison:* en un cierto nivel inferior se la puede juzgar según los preceptos y el arte: pero la buena, la suprema, la divina (poesía) está por encima de las reglas y de la razón.

[7] *Deschamps* (1861-1931): crítico y novelista francés.

[8] *trecenazgo:* trece personas ligadas por un interés común.

[9] *mediocracia:* neologismo de Darío para definir a la gente mediocre como fuerza principal de la sociedad.

[10] *appetitus... excellentiae:* desordenada pasión por la excelencia propia.

127

ese cuerpo de excelentes he aquí que uno predica lo arbitrario; otro, el orden; otro, la anarquía; y otro aconseja, con ejemplo y doctrina, un sonriente, un amable escepticismo. Todos valen. Mas ¿qué hace este admirable hereje, este jansenista[11], carne de hoguera, que se vuelve contra un grupo de rimadores de ensueños y de inspiraciones, a propósito de un nombre de instrumentos que viene del griego? ¡Cuando, por el amor del griego, se nos debía abrazar! Y ese antaño querido y rústico anfión[12] natural y fecundo como el chorro de la fuente, como el ruiseñor, como el trigo de la tierra—, ¿por qué me lapida, o me hace lapidar, desde su heredad, porque paso con mi sombrero de Londres o mi corbata de París? Y a los jóvenes, a los ansiosos, a los sedientos de cultura, de perfeccionamiento, o simplemente de novedad, o de antigüedad, ¿por qué se les grita: «¡haced esto!», o «¡haced lo otro!», en vez de dejarles bañar su alma en la luz libre, o respirar en el torbellino de su capricho? La palabra *Whim* teníala escrita en su cuarto de labor un fuerte hombre de pensamiento cuya sangre no era latina.

Precepto, encasillado, costumbres, clisé…, vocablos sagrados. *Anathema sit* al que sea osado[13] a perturbar lo convenido de hoy, o lo convenido de ayer. Hay un horror de futurismo, para usar la expresión de este gran cerebral y más grande sentimental que tiene por nombre Gabriel Alomar[14], el cual será descubierto cuando asesine su tranquilo vivir, o se tire a un improbable Volga en una Riga no aspirada.

---

[11] *jansenista*: persona que cree en la predestinación y sostiene que el hombre, aunque depravado, no puede resistir la gracia de Dios.

[12] *Anfión*: figura del mito griego que construyó una muralla alrededor de Tebas, encantando las piedras con su lira. Se aplica como adjetivo a todo músico hábil y famoso.

[13] *Anathema… osado*: maldito sea quien se atreva. Es la frase que se utiliza en el rito de la excomunión.

[14] *Alomar* (1863-1941): ensayista español y poeta futurista, en lengua catalana. Representa el tipo de escritor revolucionario y de tendencia avanzada de la escuela mallorquina.

El movimiento que en buena parte de las flamantes letras españolas me tocó iniciar, a pesar de mi condición de «meteco» [15], echada en cara de cuando en cuando por escritores poco avisados, ha hecho que *El Imparcial* me haya pedido estas dilucidaciones. Alégrame el que puede serme propicia para la nobleza del pensamiento y la claridad del decir esta bella isla donde escribo, esta Isla de Oro, «isla de poetas, y aun de poetas, que, como usted, hayan templado su espíritu en la contemplación de la gran naturaleza americana», como me dice en gentiles y hermosas palabras un escritor apasionado de Mallorca. Me refiero a D. Antonio Maura [16], Presidente del Consejo de Ministros de Su Majestad Católica.

III

Un espíritu tan penetrante como ágil, un inglés pensante de los mejores, Arthur Symons [17], expresaba recientemente:

«La Naturaleza, se nos dice, trabaja según el principio de las compensaciones; y en Inglaterra, donde hemos tenido siempre pocos grandes hombres en la mayor parte de las artes, y un nivel general desesperadamente incomprensivo, me parece descubrir un ejemplo brillante de compensación. El público, en Inglaterra, me parece ser el menos artístico y el menos libre del mundo, pero quizá me parece eso porque yo soy inglés y porque conozco ese público mejor que cualquier otro.» Hay artistas descontentos en todas partes, que aplican a sus países respectivos el pensar del escritor británico. Yo, sin ser es-

---

[15] *meteco:* en la antigua Grecia, extranjero que se establecía en Atenas y que no gozaba de todos los derechos de ciudadanía. Extranjero en general.

[16] *Maura* (1853-1925): jefe del partido conservador, varias veces ministro y presidente del Consejo.

[17] *Symons* (1865-1945): poeta y crítico inglés, que estudió, entre otras cuestiones, el simbolismo francés. Fue uno de los introductores del simbolismo en Inglaterra. En su obra poética predomina una sensualidad de tono decadente.

español de nacimiento, pero ciudadano de la lengua, llegué en un tiempo a creer algo parecido de España. De esto hace ya algunos años... Creía a España impermeable a todo rocío artístico que no fuera el que cada mañana primaveral hacía reverdecer los tallos de las antiguas flores de retórica, una retórica que aún hoy mismo juzgan aquí imperante los extranjeros. Ved lo que dice el mismo Symons: «Me pregunto si algún público puede ser, tanto como el público inglés, incapaz de considerar una obra de arte como obra de arte, sin pedirle otra cosa. Me pregunto si esta laguna en el instinto de una raza que posee en sí el instinto de la creación, señala un disgusto momentáneo de la belleza, debido a las influencias puritanas, o bien simplemente una inatención peor aún, que provendría de ese aplastador imperialismo que aniquila las energías del país. No hay duda de que la muchedumbre es siempre ignorante, siempre injusta; pero ¿hay otras muchedumbres opuestas con tanta persistencia al arte, porque es arte, como el público inglés? Otros países tienen sus preferencias: Italia y España, por dos especies retóricas; Alemania, exactamente por lo contrario de lo que aconsejaba Heine [18] cuando decía: '¡Ante todo, nada de énfasis!' Pero yo no veo en Inglaterra ninguna preferencia, aun por una mala forma de arte.» El predominio en España de esa especie de retórica, aún persistente en señalados reductos, es lo que combatimos los que luchamos por nuestros ideales en nombre de la amplitud de la cultura y de la libertad.

No es, como lo sospechan algunos profesores o cronistas, la importación de otra retórica, de otro *poncif,* con nuevos preceptos, con nuevo encasillado, con nuevos códigos. Y, ante todo, ¿se trata de una cuestión de formas? No. Se trata, ante todo, de una cuestión de ideas. El clisé verbal es dañoso porque encierra en sí el clisé mental, y, juntos, perpetúan la anquilosis, la inmovilidad.

[18] *Heinrich Heine* (1797-1856): escritor y poeta alemán, pretendió asumir el papel de mediador cultural entre Alemania y Francia. Se le llegó a considerar el mejor representante de la poesía alemana.

Y debo hacer un corto paréntesis, *pro domo mea*[19]. No habría comenzado la exposición de estos mis modos de ver sin la amable invitación de *Los Lunes de El Imparcial,* hoja gloriosa desde días memorables en que ofreciera sus columnas a los pareceres estéticos de maestros de hoy por todos venerados y admirados. No soy afecto a polémicas. Me he declarado, además, en otra ocasión, y con placer íntimo, el ser menos pedagógico de la tierra. Nunca he dicho: «lo que yo hago es lo que se debe hacer». Antes bien, y en las palabras liminares de mis *Prosas Profanas,* cité la frase de Wagner a su discípula Augusta Holmes: «Sobre todo, no imitar a nadie, y mucho menos, a mí.» Tanto en Europa como en América se me ha atacado con singular y hermoso encarnizamiento. Con el montón de piedras que me han arrojado pudiera bien construirme un rompeolas que retardase en lo posible la inevitable creciente del olvido... Tan solamente he contestado a la crítica tres veces, por la categoría de sus representantes, y porque mi natural orgullo juvenil, ¡entonces!, recibiera también flores de los sagitarios. Por lo demás, ellos se llamaban Max Nordau, Paul Groussac, Leopoldo Alas[20].

No creo preciso poner cátedra de teorías de aristos. Aristos, para mí, en este caso, significa, sobre todo, independientes. No hay mejor excelencia. Por lo que a mí toca, si hay quien me dice, con aire alemán y con lenguaje un poco bíblico: «Mi verdad es la verdad», le contestó: «Buen provecho. Déjeme usted con la mía, que así me place, en una deliciosa interinidad.»

---

[19] *pro domo mea:* en beneficio propio.
[20] *Nordau... Alas:* escritores famosos de su época. Max Nordau (austríaco defensor de la causa israelí y muy hostil al modernismo; Paul Groussac (1848-1929), crítico francoargentino, director de *La Biblioteca,* revista de Buenos Aires en que colaboró Darío; Leopoldo Alas (1852-1901), novelista y crítico, también adverso al modernismo. Utilizó el seudónimo de *Clarín.*

Deseo también enmendar algún punto en que han errado mis defensores, que buenos los he tenido en España. Los maestros de la generación pasada nunca fueron sino benévolos y generosos conmigo. Los que en estos asuntos se interesan no ignoran que Valera, en estas mismas columnas, fue quien dio a conocer, con un gentil entusiasmo muy superior a su ironía, la pequeña obra primigenia que inició allá en América la manera de pensar y de escribir que hoy suscita, aquí y allá, ya inefables, ya truculentas controversias. Campoamor fue para mí lo que testigos eminentes —entre ellos José Verdes Montenegro— pudieran certificar. Castelar me dio pruebas de intelectual estímulo. Núñez de Arce, cuando estuve en Madrid por la primera vez, como delegado de mi país natal a las fiestas colombinas [21], fue tan entusiasta conmigo, que hizo todo lo posible porque me quedara en la Corte. Habló al respecto con Cánovas del Castillo [22] —otro ilustre y bondadoso amigo mío—, y Cánovas escribió al Marqués de Comillas solicitando para mí un puesto en la Trasatlántica. Entretanto yo partí. No sin que antes en las tertulias de Valera se aplaudiesen y se criticasen algunos de los que llamaban mis atrevimientos líricos, que eran entonces, lo confieso, muy inocentes, y apenas de un modesto parnasianismo: «Elogio de la seguidilla»; un «Pórtico» para el libro *En tropel,* de Salvador Rueda. Mis versos fueron bien recibidos la primera vez que hablara ante un público español —fue en una velada en que tomaba parte don José Canalejas—. Rueda me alababa, no tanto como yo a él. Mas mis amigos literarios, además de los que he nombrado, se llamaban entonces Manuel del Palacio, Narciso Campillo, el Duque

---

[21] *fiestas colombinas:* celebración del cuatrocientos aniversario del descubrimiento de América por Cristóbal Colón.
[22] *Cánovas del Castillo:* jefe del partido conservador durante la Restauración y primer ministro. Fue asesinado en 1897.

de Almenara, el Conde de las Navas, don Luis Vidart, don Miguel de los Santos Álvarez [23]... Me apresuro a decir que yo tenía la grata edad de veinticinco años.

Estos cortos puntos de autobiografía literaria son para hacer notar que se equivocan los que afirman que yo no he sido bien acogido por los dirigentes anteriores. En esos mismos tiempos mi ilustre amiga doña Emilia Pardo Bazán se dio la voluptuosidad de hacerce recitar versos en su salón, en compañía del autor de *Pedro Abelardo* [24]... Y mis aficiones clásicas encontraban un consuelo con la amistosa conversación de cierto joven maestro que vivía, como yo, en el hotel de las Cuatro Naciones; se llamaba, y se llama hoy en plena gloria, Marcelino Menéndez y Pelayo. Él fue quien, oyendo una vez a un irritado censor atacar mis versos del «Pórtico» a Rueda, como peligrosa novedad,

> ... y esto pasó en el reinado de Hugo,
> emperador de la barba florida.

dijo: «Ésos son, sencillamente, los viejos endecasílabos de gaita gallega:

> Tanto bailé con el ama del cura,
> tanto bailé, que me dio calentura.

Y yo aprobé. Porque siempre apruebo lo correcto, lo justo y lo bien intencionado. Yo no creía haber inventado nada... Se me había ocurrido la cosa como a Valmajour, el tamborilero de Provenza... O había «pensado musicalmente», según el decir de Carlyle [25], esa mala compañía.

Desde entonces hasta hoy, jamás me he propuesto

---

[23] *Manuel... Álvarez:* escritores del periodo, hoy casi olvidados.
[24] *autor de «Pedro Abelardo»:* Emilio Ferrari, poeta de Valladolid.
[25] *Thomas Carlyle* (1725-1881): escritor británico. De importancia considerable en la historia de las ideas, representa uno de los primeros victorianos determinados por el Romanticismo.

ni asombrar al burgués, ni martirizar mi pensamiento en potros de palabras.

No gusto de *moldes* nuevos ni viejos... Mi verso ha nacido siempre con su cuerpo y su alma, y no le he aplicado ninguna clase de ortopedia. He, sí, cantado aires antiguos; y he querido ir hacia el porvenir, siempre bajo el divino imperio de la música —música de las ideas, música del verbo.

V

«Los pensamientos e intenciones de un poeta son su estética», dice un buen escritor. Que me place. Pienso que el don del arte es aquel que de modo superior hace que nos reconozcamos íntima y exteriormente ante la vida. El poeta tiene la visión directa e introspectiva de la vida y una supervisión que va más allá de lo que está sujeto a las leyes del general conocimiento. La religión y la filosofía se encuentran con el arte en tales fronteras, pues en ambas hay también una ambiencia artística. Estamos lejos de la conocida comparación del arte con el juego. Andan por el mundo tantas flamantes teorías y enseñanzas estéticas... Las venden al peso, adobadas de ciencia fresca, de la que se descompone más pronto, para aparecer renovada en los catálogos y escaparates pasado mañana.

Yo he dicho: «Cuando dije que mi poesía era *mía en mí*, sostuve la primera condición de mi existir, sin pretensión ninguna de causar sectarismo en mente o voluntad ajena, y en un intenso amor absoluto de la belleza.» Yo he dicho: «ser sincero es ser potente.» La actividad humana no se ejercita por medio de la ciencia y de los conocimientos actuales, sino en el vencimiento del tiempo y del espacio. Yo he dicho: «es el Arte el que vence el espacio y el tiempo». He meditado ante el problema de la existencia y he procurado ir hacia la más alta idealidad. He expresado lo expresable de mi alma y he querido penetrar en el alma de los demás, y hundirme en la vasta alma universal. He apartado asimismo, como quiere Schopenhauer [26], mi individualidad del resto del mundo, y he visto con desinterés lo que a mi yo parece extraño, para convencerme de que nada es extraño a mi yo. He cantado, en mis diferentes modos, el espectáculo multiforme de la Naturaleza y su inmenso misterio. He celebrado el heroísmo, las épocas bellas de la Historia, los poetas, los ensueños, las esperanzas. He impuesto al instrumento lírco mi voluntad del momento, siendo a mi vez órgano de los instantes, vario y variable, según la dirección que imprime el inexplicable Destino.

Amador de la lectura clásica, me he nutrido de ella, mas siguiendo el paso de mis días. He comprendido la fuerza de las tradiciones en el pasado, y de las previsiones en lo futuro. He dicho que la tierra es bella, que en el arcano del vivir hay que gozar de la realidad, alimentados de ideal. Y que hay instantes tristes por culpa de un monstruo malhechor llamado Esfinge. Y he cantado también a ese monstruo malhechor. Yo he dicho:

> Es incidencia la Historia. Nuestro destino supremo está más allá del rumbo que marcan fugaces las épocas. Y *Palenke* y la Atlántida no son más que momentos soberbios con que puntúa Dios los versos de su augusto Poema.

He celebrado las conquistas humanas y he, cada día, afianzado más mi seguridad de Dios. De Dios y de los dioses. Como hombre, he vivido en lo cotidiano; como poeta, no he claudicado nunca, pues siempre he tendido, a la eternidad. Todo ello para que, fuera de la comprensión de los que me entienden con intelecto de amor, haga pensar a determinados profesores en tales textos; a la cuquería literaria, en escuelas y modas; a este ciudadano, en el ajenjo del Barrio Latino, y al otro, en las decoraciones «arte nuevo» de los *bars* y *music halls*. He comprendido la inanidad de la crítica. Un diplomático os alaba por lo menos alabable que tenéis; y otro os

---

[26] *Arthur Schopenhauer* (1788-1860): filósofo idealista alemán, autor de *El mundo como voluntad y representación*.

censura en mal latín o en esperanto. Este doctor de fama universal os llama aquí «ese gran talento de Rubén Darío», y allá os inflige un estupefaciente desdén... Este amigo os defiende temeroso. Este enemigo os cubre de flores, pidiéndoos por bajo una limosna. Eso es la literatura... Eso es lo que yo abomino. Maldígame la potencia divina si alguna vez, después de un roce semejante, no he ido al baño de luz lustral que todo lo purifica: la autoconfesión ante la única Norma [27].

VI

Jamás he manifestado el culto exclusivo de la palabra por la palabra. «Las palabras —escribe el señor Ortega y Gasset, cuyos pensares me halagan—, las palabras son logaritmos de las cosas, imágenes, ideas y sentimientos, y por tanto, sólo pueden emplearse como signos de valores, nunca como valores.» De acuerdo. Mas la palabra nace juntamente con la idea, o coexiste con la idea, pues no podemos darnos cuenta de la una sin la otra. Tal mi sentir, a menos que alguien me contradiga después de haber presenciado el parto del cerebro, observando con el microscopio los neurones de nuestro gran Cajal [28].

En el principio está la palabra como única representación. No simplemente como signo, puesto que no hay antes nada que representar. En el principio está la palabra como manifestación de la unidad infinita, pero ya conteniéndola. *Et verbum erat Deus* [29].

La palabra no es en sí más que un signo, o una combinación de signos; mas lo contiene todo por la virtud demiúrgica [30]. Los que la usan mal, serán los culpables,

[27] *la única Norma:* Dios.

[28] *Santiago Ramón y Cajal* (1852-1934): Histólogo español, consagrado a la investigación anatómica y especialmente a la estructura del sistema nervioso. Fruto de estos estudios fue la formulación de la doctrina de la neurona.

[29] *Et... Deus:* Y la palabra era Dios. Palabras del Evangelio de San Juan.

[30] *demiúrgica:* creadora.

si no saben manejar esos peligrosos y delicados medios. Y el arte de la ordenación de las palabras no deberá estar sujeto a imposición de yugos, puesto que acaba de nacer la verdad que dice: el arte no es un conjunto de reglas, sino una armonía de caprichos.

Yo no soy iconoclasta. ¿Para qué? Hace siempre falta a la creación el tiempo perdido en destruir. Mal haya la filosofía que viene de Alemania, que viene de Inglaterra o que viene de Francia, si ella viene a quitar, y no a dar. Sepamos que muchas de esas cosas flamantes importadas yacen, entre polillas, en ancianos infolios españoles. Y las que no, son pruebas por corregir para la edición de mañana, en espera de una sucesión de correcciones. Se está ahora, editorialmente —en Palma de Mallorca—, desenterrando de sus cenizas a un Lulio. ¿Creéis que este fénix resucitado contenga menos que lo que puede dar a la percepción filosófica de hoy cualquiera de los *reporters* usuales en cátedras periodísticas y más o menos sorbónicas [31] del día?

Construir, hacer, ¡oh juventud! Juntos para el templo; solos para el culto. Juntos para edificar; solos para orar. Y con la constancia no será la menor virtud, que en ella va la invencible voluntad de crear. Mas si alguien dijera: «Son cosas de ideólogos», o «son cosas de poetas», decir que no somos otra cosa. Es expresar: además del cerdo y del cisne, que nos han adjudicado ciertos filósofos, tenemos el ángel.

¡Tener ángel, Dios mío. Pido exégetas andaluces [32].

Resumo: la poesía existirá mientras exista el problema de la vida y de la muerte. El don de arte es un don superior que permite entrar en lo desconocido de antes y en lo ignorado de después, en el ambiente del ensueño o de la meditación. Hay una música ideal como hay una música verbal. No hay escuelas; hay poetas. El verdadero artista comprende todas las maneras y halla la belleza bajo todas las formas. Toda la gloria y toda la eternidad están en nuestra conciencia.

[31] *sorbónicas:* de la Sorbona, universidad de París.
[32] *exégetas andaluces:* comentaristas ingeniosos.

Metempsicosis [33]

Yo fui un soldado que durmió en el lecho
de Cleopatra la reina. Su blancura
y su mirada astral y omnipotente.
    Eso fue todo.

¡Oh mirada! ¡oh blancura! y ¡oh aquel lecho
en que estaba radiante la blancura!
¡Oh la rosa marmórea omnipotente!
    Eso fue todo.

Y crujió su espinazo por mi brazo,
y yo, liberto [34], hice olvidar a Antonio
(¡oh el lecho y la mirada y la blancura!)
    Eso fue todo.

Yo, Rufo Galo, fui soldado, y sangre
tuve de Galia, y la imperial becerra
me dio un minuto audaz de su capricho.
    Eso fue todo.

---

[33] *Metempsicosis:* el paso del alma del muerto a otro cuerpo,
o humano o animal. Esta creencia, muy extendida en el Oriente
antiguo, apareció también en el orfismo griego y tuvo su exposición occidental clásica en el *Fedón* de Platón.

[34] *liberto:* antiguo esclavo a quien su propietario ha concedido
la libertad.

¿Por qué en aquel espasmo las tenazas
de mis dedos de bronce no apretaron
el cuello de la blanca reina en broma?
Eso fue todo.

Yo fui llevado a Egipto. La cadena
tuve al pescuezo. Fui comido un día
por los perros. Mi nombre, Rufo Galo.
Eso fue todo.

Salutación al Águila

May this grand Union have no end! [35]
FONTOURA XAVIER

Bien vengas, mágica Águila de alas enormes y
    fuertes,
a extender sobre el Sur [36] tu gran sombra continental,
a traer en tus garras, anilladas de rojos brillantes,
una palma de gloria, del color de la inmensa
    esperanza,

y en tu pico la oliva de una vasta y fecunda paz.

Bien vengas, oh mágica Águila, que amara tanto
    Walt Whitman,
quién te hubiera cantado en esta olímpica jira,
Águila que has llevado tu noble y magnífico símbolo
desde el trono de Júpiter, hasta el gran continente del
    Norte.

Ciertamente, has estado en las rudas conquistas
    del orbe.
Ciertamente, has tenido que llevar los antiguos rayos [37].

---

[35] *May... end:* Haz que esta gran Unión no tenga fin. Palabras del himno de los Estados Unidos.

[36] *Sur:* Hispanoamérica.

[37] *antiguos rayos:* metáfora de la guerra.

Si tus alas abiertas la visión de la paz perpetúan,
en tu pico y tus uñas está la necesaria guerra.

¡Precisión de la fuerza! ¡Majestad adquirida del
      trueno!
Necesidad de abrirle el gran vientre fecundo a la
      tierra
para que en ella brote la concreción de oro de
      la espiga,
y tenga el hombre el pan con que mueve su sangre.

No es humana la paz con que sueñan ilusos
      profetas,
la actividad eterna hace precisa la lucha,
y desde tu etérea altura, tú contemplas,
      divina Águila,
la agitación combativa de nuestro globo vibrante.

Es incidencia la historia. Nuestro destino supremo
está más allá del rumbo que marcan fugaces
      las épocas,
y Palenque [38] y la Atlántida no son más que
      momentos soberbios
con que puntúa Dios los versos de su augusto
      Poema.

Muy bien llegada seas a la tierra pujante
      y ubérrima,
sobre la cual la Cruz del Sur está, que miró Dante
cuando, siendo Mesías, impulsó en su intuición
      sus bajeles,
que antes que los del sumo Cristóbal supieron
      nuestro cielo.

---

[38] *Palenque:* véase nota a «Palabras liminares». Obsérvese la
diferente ortografía, típica de la inconsistencia de la erudición
de Rubén. En todos los casos se han respetado estas disparidades
conservando la grafía original.

E pluribus unum! [39] ¡Gloria, victoria, trabajo!
Tráenos los secretos de las labores del Norte,
y que los hijos nuestros dejen de ser los rétores
    latinos,
y aprendan de los yanquis la constancia, el vigor,
    el carácter.

¡Dinos, Águila ilustre, la manera de hacer
    multitudes
que hagan Romas y Grecias con el jugo del
    mundo presente,
y que, potentes y sobrias, extiendan su luz y su
    imperio,
y que teniendo el Águila y el Bisonte y el Hierro
    y el Oro,
tengan un áureo día para darle las gracias a Dios!

Águila, existe el Cóndor. Es tu hermano en
    las grandes alturas.
Los Andes le conocen y saben que, cual tú,
    mira al Sol.
May this grand Union have no end!, dice el poeta.
Puedan ambos juntarse en plenitud, concordia y
    esfuerzo.

Águila, que conoces desde Jove hasta Zarathustra [40]
y que tienes en los Estados Unidos tu asiento,
que sea tu venida fecunda para estas naciones
que el pabellón admiran constelado de bandas
    y estrellas.

¡Águila, que estuviste en las horas sublimes
    de Pathmos [41],
Águila prodigiosa, que te nutres de luz y de azul,

---

[39] *E pluribus unum:* «Y todos juntos», divisa de los Estados Unidos.

[40] *desde...* «*Zarathustra*»: desde Júpiter a Zarathustra o Zoroastro, sabio, filósofo persa, del siglo VI a. de C. Fue considerado como el origen del saber astrológico.

[41] *Pathmos:* isla en el mar Egeo donde San Juan tuvo las visiones del Apocalipsis.

como una Cruz viviente, vuela sobre estas naciones,
y comunica al globo la victoria feliz del futuro!

Por algo eres la antigua mensajera jupiterina,
por algo has presenciado cataclismos y luchas
   de razas,
por algo estás presente en los sueños del
   Apocalipsis,
por algo eres el ave que han buscado los
   fuertes imperios.

¡Salud, Águila! Extensa virtud a tus inmensos
   revuelos,
reina de los azures, ¡salud!, ¡gloria!, ¡victoria
   y encanto!
¡Que la Latina América reciba tu mágica influencia
y que renazca nuevo Olimpo [42], lleno de dioses
   y de héroes!

¡Adelante, siempre adelante! *Excelsior!* [43]
   ¡Vida! ¡Lumbre!
Que se cumpla lo prometido en los destinos terrenos,
y que vuestra obra inmensa las aprobaciones recoja
del mirar de los astros y de lo que Hay más Allá!

Río de Janeiro, 1906

---

[42] *Olimpo:* montaña situada en la divisoria entre Grecia y Macedonia; era el hogar de los dioses griegos.
[43] *Excelsior!:* Siempre hacia arriba.

Revelación [44]

En el acantilado de una roca
que se alza sobre el mar, yo lancé un grito
que de viento y de sal llenó mi boca:

a la visión azul de lo infinito,
al poniente magnífico y sangriento,
al rojo sol todo milagro y mito.

Y sentí que sorbía en sal y viento
como una comunión de comuniones
que en mí hería sentido y pensamiento.

Vidas de palpitantes corazones,
luz que ciencia concreta en sus entrañas,
y prodigios de las constelaciones.

Y oí la voz del dios de las montañas
que anunciaba su vuelta en el concierto
maravilloso de sus siete cañas.

Y clamé y dijo mi palabra: «¡Es cierto,
el gran dios de la fuerza y de la vida,
Pan, el gran Pan de la inmortal, no ha muerto!»

---

[44] *Revelación:* se trata de la revelación de la inmortalidad del
dios Pan que para él simboliza la fuerza que late en la naturaleza,
el todo que se resume en el universo y que habla al poeta con
extrañas voces.

Volví la vista a la montaña erguida
como buscando la bicorne frente
que pone el sol en l'alma del panida [45].

Y vi la singular doble serpiente
que enroscada al celeste caduceo [46]
pasó sobre las olas de repente

llevada por Mercurio [47]. Y mi deseo
tornó a Thalasa [48] maternal la vista,
pues todo hallo en la mar cuando la veo. ←

Y vi azul y topacio y amatista,
oro y perla y argento y vïoleta,
y de la hija de Electra [49] la conquista.

Y escuché el ronco ruido de trompeta
que del tritón [50] el caracol derrama,
y a la sirena, amada del poeta.

Y con la voz de quien aspira y ama,
clamé: «¿Dónde está el dios que hace del lodo
con el hendido pie brotar el trigo,

que a la tribu ideal salva en su exodo?»
Y oí dentro de mí: «Yo estoy contigo,
y estoy en ti y por ti, yo soy el Todo.»

---

[45] *panida:* seguidor del dios Pan.
[46] *Caduceo:* atributo del dios Hermes o Mercurio formado por una vara de laurel y de olivo con dos alas, al que se entrelazan dos serpientes.
[47] *Mercurio:* dios romano, identificado con el Hermes griego, notable por su ingenio y por la multiplicidad de sus funciones. Su actividad era fundamentalmente práctica.
[48] *Thalassa:* el mar.
[49] *Electra:* hija de Agamenón y de Clitemnestra, ayudó a matar a su madre y al segundo marido de ésta, asesinos de su padre, para vengarle.
[50] *Tritón:* habitante del fondo del mar dotado del don de profecía. Cuerpo de hombre y cola de pez. El caracol marino suena en sus labios como trompeta.

145

"S u m..."

Yo soy en Dios lo que soy[51]
y mi ser es voluntad
que, perseverando hoy,
existe en la eternidad.

Cuatro horizontes de abismo
tiene mi razonamiento,
y el abismo que más siento
es el que siento en mí mismo.

Hay un punto alucinante
en mi villa e ilusión:
la torre del elefante
junto al quiosco del pavón.

Aun lo humilde me subyuga
si lo dora mi deseo.
La concha de la tortuga
me dice el dolor de Orfeo[52].

---

[51] *Yo soy en Dios lo que soy:* Son tantas las posibles «fuentes» de esta idea y de esta estrofa que es difícil precisarlas. Arturo Marasso menciona la posibilidad de que Darío se inspirase en una epístola de San Pablo, o en una interpretación libre de San Agustín, e incluso de Pitágoras. Lo que evidentemente sugiere este poema es que el hombre existe en Dios y que a la unión con él sólo se llega por una enérgica decisión personal.

[52] *Miserere:* la misericordia de Dios invocada como necesaria para la salvación.

146

Rosas buenas, lirios pulcros,
loco de tanto ignorar,
voy a ponerme a gritar
al borde de los sepulcros:

¡Señor, que la fe se muere!
¡Señor, mira mi dolor!
Miserere! Miserere!... [53]
Dame la mano, Señor...

---

[53] *Orfeo:* legendario poeta prehomérico que tocaba la lira tan bien que podía encantar con su música a las bestias salvajes.

"Eheu" [54]

Aquí, junto al mar latino,
digo la verdad:
Siento en roca, aceite y vino,
yo mi antigüedad.

¡Oh, qué anciano soy, Dios santo;
oh, que anciano soy!...
¿De dónde viene mi canto?
Y yo, ¿a dónde voy?

El conocerme a mí mismo,
ya me va costando
muchos momentos de abismo
y el cómo y el cuándo...

Y esta claridad latina,
¿de qué me sirvió
a la entrada de la mina
del yo y el no yo...?

Nefelibata [55] contento,
creo interpretar
las confidencias del viento,
la tierra y el mar...

[54] «Eheu»: ¡Ay!, primera palabra de la famosa oda de Horacio: «Eheu, fugaces...»
[55] Nefelibata: de nefele, nube en griego, amante de las nubes, soñador.

148

Unas vagas confidencias
del ser y el no ser,
y fragmentos de conciencias
de ahora y ayer.

Como en medio de un desierto
me puse a clamar;
y miré al sol como muerto
y me eché a llorar.

Antonio Machado

Misterioso y silencioso
iba una y otra vez.
Su mirada era tan profunda
que apenas se podía ver.

Cuando hablaba tenía un dejo
de timidez y de altivez.
Y la luz de sus pensamientos
casi siempre se veía arder.

Era luminoso y profundo
como era hombre de buena fe.
Fuera pastor de mil leones
y de corderos a la vez.
Conduciría tempestades
o traería un panal de miel.

Las maravillas de la vida
y del amor y del placer,
cantaba en versos profundos
cuyo secreto era de él.

Montado en un raro Pegaso,
un día al imposible fue.
Ruego por Antonio a mis dioses;
ellos le salven siempre. Amén.

Soneto

Para el señor don Ramón del Valle-Inclán

Este gran don Ramón, de las barbas de chivo,
cuya sonrisa es la flor de su figura,
parece un viejo dios, altanero y esquivo,
que se animase en la frialdad de su escultura.

El cobre de sus ojos por instantes fulgura
y da una llama roja tras un ramo de olivo.
Tengo la sensación de que siento y que vivo
a su lado una vida más intensa y más dura.

Este gran don Ramón del Valle-Inclán me inquieta,
y a través del zodíaco de mis versos actuales
se me esfuma en radiosas visiones de poeta,

o se me rompe en un fracaso de cristales.
Yo le he visto arrancarse del pecho la saeta
que le lanzan los siete pecados capitales.

Otros poemas

Otros poemas

[Cuando tus negras fauces...]

Cuando tus negras fauces,
　　　　¡oh, tumba!,
me libren de mis penas
　　　　profundas;

cuando del hondo río
　　　　las turbias
aguas lleven mi barca
　　　　obscura;

cuando, pupilas ciegas,
　　　　voz muda,
sienta yo la infinita
　　　　angustia;

cuando una mano amiga
　　　　descubra
mi faz, que cuatro cirios
　　　　alumbran;

cuando ningunos duelos
　　　　ya sufra,
y mis nervios se calmen,
y esté mi lengua muda,
¡entonces voy a ser un buen muchacho
y va a llorar mi muerte la fortuna!

(Febrero de 1889)

Reencarnaciones

Yo fui coral primero,
después hermosa piedra,
después fui de los bosques verde y colgante
        hiedra;
después yo fui manzana,
lirio de la campiña,
labio de niña,
una alondra cantando en la mañana;
y ahora soy un alma
que canta como canta una palma
de luz de Dios al viento.

(Guatemala, 1890)

156

ESTEREOTIPACIÓN

La negra Dominga[1]

FRAGMENTO

¿Conocéis a la negra Dominga?
El retoño de cafre y mandinga[2],
es flor de ébano henchida de sol.
Ama el ocre y el rojo y el verde,
y en su boca, que besa y que muerde,
tiene el ansia del beso español.

Serpentina, fogosa y violenta,
con caricias de miel y pimienta
vibra y muestra su loca pasión:
fuegos tiene que Venus alaba
y envidiara la reina de Saba
para el lecho del rey Salomón.

Vencedora, magnífica y fiera,
con halagos de gata y pantera

---

[1] *Dominga:* cuando Darío se detuvo en la Habana, en su viaje en 1892, el escritor isleño Julián del Casal le llevó a ver bailar a una atractiva bailarina negra llamada «La Dominga». El resultado de esta visita fue este poema.

[2] *retoño... mandinga:* descendiente de las razas cafre y mandinga.

tiende al blanco su abrazo febril,
y en su boca, do el beso está loco,
muestra dientes de carne de coco
con reflejos de lácteo marfil.

(La Habana, 30-VII-1892)

En las constelaciones

En las constelaciones Pitágoras [3] leía,
yo en las constelaciones pitagóricas leo;
pero se han confundido dentro del alma mía
el alma de Pitágoras con el alma de Orfeo.

Sé que soy, desde el tiempo del Paraíso, reo;
sé que he robado el fuego y robé la armonía;
que es abismo mi alma y huracán mi deseo;
que sorbo el infinito y quiero todavía...

Pero ¿qué voy a hacer, si estoy atado al potro
en que, ganado el premio, siempre quiero ser otro,
y en que, dos en mí mismo, triunfa uno de los dos?

En la arena me enseña la tortuga de oro
hacia dónde conduce de las musas el coro
y en dónde triunfa, augusta, la voluntad de Dios.

(Abril de 1908)

---

[3] *Pitágoras:* véase el comentario al pitagorismo en la Introducción.

Triste, muy tristemente...

Un día estaba yo triste, muy tristemente
viendo cómo caía el agua de una fuente.
Era la noche dulce y argentina. Lloraba
la noche. Suspiraba la noche. Sollozaba
la noche. Y el crepúsculo en su suave amatista
diluía la lágrima de un misterioso artista.
Y ese artista era yo, misterioso y gimiente,
que mezclaba mi alma al chorro de la fuente.

A Juan Ramón Jiménez [4]

ATRIO

¿Tienes, joven amigo, ceñida la coraza
para empezar, valiente, la divina pelea?
¿Has visto si resiste el metal de tu idea
la furia del mandoble y el peso de la maza?

¿Te sientes con la sangre de la celeste raza
que vida con los números pitagóricos crea?
¿Y, como el fuerte Herakles al león de Nemea,
a los sangrientos tigres del mal darías caza?

¿Te enternece el azul de una noche tranquila?
¿Escuchas pensativo el sonar de la esquila
cuando el Ángelus dice el alma de la tarde?...

¿Tu corazón las voces ocultas interpreta?
Sigue, entonces, tu rumbo de amor. Eres poeta.
La belleza te cubra de luz, y Dios te guarde.

(París, 1900)

---

[4] Fue muy amigo de Rubén Darío, que le decidió a dividir su primer libro, *Nubes,* en dos e incluso le sugirió el título de uno de ellos.

Peregrinaciones

I

En un momento crepuscular
pensé cantar una canción
en que toda la esencia mía
se exprimía por mi voz:
predicaciones de San Pablo
o lamentaciones de Job,
y versículos evangélicos
o preceptos de Salomón.
¡Oh Dios!

¿Hacia qué vaga Compostela [5]
iba yo en peregrinación?
Con Valle Inclán o con San Roque,
¿adónde íbamos, señor?
El perrillo que nos seguía,
¿no sería, acaso, un león?
Íbamos siguiendo una vasta
muchedumbre de todos los
puntos del mundo, que llegaba

---

[5] *vaga Compostela:* una idealizada, imaginada ciudad de peregrinaciones, sobre el modelo de Santiago de Compostela. La referencia siguiente a Valle Inclán se justifica por ser éste gallego y la de San Roque se vincula a la del perrillo mencionado más adelante.

a la gran peregrinación.
Era una noche negra, negra,
porque se había muerto el Sol:
nos entendíamos con gestos,
porque había muerto la voz.
Reinaba en todo una espantosa
y profunda desolación.
¡Oh Dios!

¿Y adónde íbamos aquéllos
de aquella larga procesión:
donde no se hablaba ni oía,
ni se sentía la impresión
de estar en la vida carnal
y sí en el reinado del ¡ay!
y en la perpetuidad del ¡oh!...?
¡Oh Dios!

II

Las torres de la catedral [6]
aparecieron. Las divinas
horas de la mañana pura,
las sedas de la madrugada,
saludaron nuestra llegada
con campanas y golondrinas.
¡Oh Dios!

Y jamás habíamos visto
envuelto en más oro y albor,
emperador de aire y de mar,
como aquel Señor Jesucristo
sobre la custodia del Sol.
¡Oh Dios!

---

[6] *catedral:* según indica la estrofa, este edificio y sus torres
son puramente ideales, visionarios. Al final de esta sección hay
una alusión a los pájaros prodigiosos que anuncian o proclaman
el milagro.

Para tu querer y tu amar,
visión fue de los peregrinos;
mas brotaron todas las flores
en roca dura y campo magro:
y por los prodigios divinos,
tuvimos pájaros cantores
cantando el verso del milagro.

III

Por la calle de los difuntos
vi a Nietzsche y Heine en sangre tintos;
parecía que estaban juntos
e iban por caminos distintos.

La ruta tenía su fin
y dividimos un pan duro
en el rincón de un quicio obscuro
con el marqués de Bradomín [7].

---

[7] *marqués de Bradomín:* protagonista de las *Sonatas* de Ramón del Valle Inclán, a quien éste caracterizó como un don Juan feo, católico y sentimental.

A Francisca

I

Francisca, tú has venido
en la hora segura [8];
la mañana es obscura
y está caliente el nido.
    Tú tienes el sentido
de la palabra pura,
y tu alma te asegura
el amante marido.
    Un marido y amante
que, terrible y constante,
será contigo dos.
Y que fuera contigo,
como amante y amigo,
al infierno o a Dios.

II

Francisca, es la alborada,
y la aurora es azul;
el amor es inmenso
y eres pequeña tú.

---

[8] *hora segura:* cuando te necesitaba.

Mas en tu pobre urna
cabe la eterna luz,
que es de tu alma y la mía
un diamante común.

III

¡Franca, cristalina,
alma sororal [9],
entre la neblina
de mi dolor y de mi mal!
Alma pura,
alma franca.
alma obscura
y tan blanca...
Sé conmigo
un amigo,
sé lo que debes ser,
lo que Dios te propuso,
la ternura y el huso
con el grano de trigo
y la copa de vino,
y el arrullo sincero
y el trino,
a la hora y a tiempo.
¡A la hora del alba y de la tarde,
del despertar y del soñar y el beso!
Alma sororal y obscura,
con tus cantos de España,
que te juntas a mi vida
rara,
y a mi soñar difuso,
y a mi soberbia lira,
con tu rueca y tu huso,

---

[9] *sororal*: del latín *soror*, hermana, fraternal.

ante mi bella mentira,
ante Verlaine y Hugo,
   ¡tú que vienes
de campos remotos y ocultos!

IV

La fuente dice: «Yo te he visto soñar.»
El árbol dice: «Yo te he visto pensar.»
Y aquel ruiseñor de los mil años
repite lo del cuervo: «¡Jamás!» [10]

V

Francisca, sé süave,
es tu dulce deber;
sé para mí un ave
que fuera una mujer.
   Francisca, sé una flor
y mi vida perfuma,
hecha toda de amor
y de dolor y espuma.
   Francisca, sé un ungüento
como mi pensamiento;
Francisca, sé una flor
cual mi sutil amor;
Francisca, sé mujer,
como se debe ser...
   Sabe amar y sentir
y admirar como rezar...
Y la ciencia del vivir
y la virtud de esperar.

---

[10] *lo...* «¡*Jamás!*»: alusión al poema de Edgard Allan Poe,
«El Cuervo».

VI

Ajena al dolo y al sentir artero,
llena de la ilusión que da la fe,
lazarillo de Dios en mi sendero,
　　Francisca Sánchez, acompáña-mé...
　　En mi pensar de duelo y de martirio,
casi inconsciente me pusiste miel,
multiplicaste pétalos de lirio
y refrescaste la hoja de laurel.
　　Ser cuidadosa del dolor supiste
y elevarte al amor sin comprender;
enciendes luz en las horas del triste,
pones pasión donde no puede haber.
　　Seguramente Dios te ha conducido
para regar el árbol de mi fe.
¡Hacia la fuente de noche y de olvido,
　　Francisca Sánchez, acompáña-mé!...

Cuentos

El fardo [1]

Allá lejos, en la línea, como trazada por un lápiz azul, que separa las aguas y los cielos, se iba hundiendo el sol, con sus polvos de oro y sus torbellinos de chispas purpuradas, como un gran disco de hierro candente. Ya el muelle fiscal iba quedando en quietud; los guardas pasaban de un punto a otro, las gorras metidas hasta las cejas, dando aquí y allá sus vistazos. Inmóvil el enorme brazo de los pescantes, los jornaleros se encaminaban a las casas. El agua murmuraba debajo del muelle, y el húmedo viento salado, que sopla de mar afuera a la hora en que la noche sube, mantenía las lanchas cercanas en un continuo cabeceo.

Todos los lancheros se habían ido ya; solamente el viejo tío Lucas, que por la mañana se estropeara un pie al subir una barrica a un carretón, y que, aunque cojín cojean-

---

[1] Se publicó este cuento por vez primera en la *Revista de Artes y Letras,* en Santiago de Chile, el 15 de abril de 1887. Iba dedicado al novelista chileno Luis Orrego Luco y en la dedicatoria le decía que lo aquí relatado lo había encontrado al salir de su oficina. Como es sabido, Darío estuvo empleado en la Aduana de Valparaíso, y esta narración, según él mismo aclaró, en nota a una edición de *Azul,* «es un episodio verdadero que [le] fue narrado por un viejo lanchero en el muelle fiscal de Valparaíso», cuando estaba empleado en aquella ciudad. El mismo reconoció más tarde la influencia de Zola y el naturalismo a que se adscribe esta narración.

do [2], había trabajado todo el día, estaba sentado en una piedra y, con la pipa en la boca, veía triste el mar.

—¡Eh, tío Lucas! ¿Se descansa?

—Sí, pues, patroncito.

Y empezó la charla, esa charla agradable y suelta que me place entablar con los bravos hombres toscos que viven la vida del trabajo fortificante, la que da la buena salud y la fuerza del músculo, y se nutre con el grano del poroto [3] y la sangre hirviente de la viña.

Yo veía con cariño a aquel rudo viejo, y le oía con interés sus relaciones, así, todas cortadas, todas como de hombre basto, pero de pecho ingenuo. ¡Ah, conque fue militar! ¡Conque de mozo fue soldado de Bulnes! [4] ¡Conque todavía tuvo resistencias para ir con rifle hasta Miraflores! [5] Y es casado, y tuvo un hijo, y...

Y aquí el tío Lucas:

—¡Sí, patrón, hace dos años que se me murió!

Aquellos ojos, chicos y relumbrantes bajo las cejas grises y peludas, se humedecieron entonces.

—¿Que cómo se murió? En el oficio, por darnos de comer a todos: a mi mujer, a los chiquitos y a mí, patrón, que entonces me hallaba enfermo.

Y todo me lo refirió, al comenzar aquella noche, mientras las olas se cubrían de brumas y la ciudad encendía sus luces; él, en la piedra que le servía de asiento, después de apagar su negra pipa y de colocársela en la oreja, y de estirar y cruzar sus piernas flacas y musculosas, cubiertas por los sucios pantalones arremangados hasta el tobillo.

El muchacho era muy honrado y muy de trabajo. Se quiso ponerlo a la escuela desde grandecito; pero ¡los mi-

---

[2] *cojín cojeando:* según Saavedra Molina, adaptación de la locución francesa *clopin-clopant.*

[3] *poroto:* judías.

[4] *Bulnes:* general chileno que luchó contra los peruanos en 1831.

[5] *Miraflores:* lugar en donde ocurrió en 1881 la batalla entre los ejércitos chileno y peruano, de que quedaron victoriosos los primeros. Miraflores es hoy parte de Lima.

serables no deben aprender a leer cuando se llora de hambre en el cuartucho!

El tío Lucas era casado, tenía muchos hijos.

Su mujer llevaba la maldición del vientre de las pobres: la fecundación. Había, pues, mucha boca abierta que pedía pan, mucho chico sucio que se revolcaba en la basura, mucho cuerpo magro que temblaba de frío; era preciso ir a llevar qué comer, a buscar harapos, y para eso, quedar sin alientos y trabajar como un buey.

Cuando el hijo creció, ayudó al padre. Un vecino, el herrero, quiso enseñarle su industria; pero como entonces era tan débil, casi un armazón de huesos, y en el fuelle tenía que echar el bofe, se puso enfermo y volvió al conventillo [6]. ¡Ah, estuvo muy enfermo! Pero no murió. ¡No murió! Y eso que vivían en uno de esos hacinamientos humanos, entre cuatro paredes destartaladas, viejas, feas, en la callejuela inmunda de las mujeres perdidas, hedionda a todas horas, alumbrada de noche por escasos faroles, y en donde resuenan en perpetua llamada a las zambras de echacorvería, las arpas y los acordeones, y el ruido de los marineros que llegan al burdel, desesperados con la castidad de las largas travesías, a emborracharse como cubas y a gritar y patalear como condenados. ¡Sí! entre la podredumbre, al estrépito de las fiestas tunantescas, el chico vivió, y pronto estuvo sano y en pie.

Luego llegaron sus quince años.

El tío Lucas había logrado, tras mil privaciones, comprar una canoa. Se hizo pescador.

Al venir el alba, iba con su mocetón al agua, llevando los enseres de la pesca. El uno remaba, el otro ponía en los anzuelos la carnada. Volvían a la costa con buena esperanza de vender lo hallado, entre la brisa fría y las opacidades de la neblina, cantando en baja voz alguna «triste» [7], y enhiesto el remo triunfante que chorreaba espuma.

---

[6] *conventillo:* casa de corredor.
[7] *tristes:* según el propio Darío, las *tristes* son canciones populares caracterizadas por su melancolía y, naturalmente, tristeza.

Si había buena venta, otra salida por la tarde.

Una de invierno había temporal. Padre e hijo, en la pequeña embarcación, sufrían en el mar la locura de la ola y del viento. Difícil era llegar a tierra. Pesca y todo se fue al agua, y se pensó en librar el pellejo. Luchaban como desesperados por ganar la playa. Cerca de ella estaban; pero una racha maldita les empujó contra una roca, y la canoa se hizo astillas. Ellos salieron sólo magullados, ¡gracias a Dios! como decía el tío Lucas al narrarlo. Después, ya son ambos lancheros.

¡Sí! lancheros; sobre las grandes embarcaciones chatas y negras; colgándose de la cadena que rechina pendiente como una sierpe de hierro del macizo pescante que semeja una horca; remando de pie y a compás; yendo con la lancha del muelle al vapor y del vapor al muelle; gritando: ¡hiiooeep! cuando se empujan los pesados bultos para engancharlos en la uña potente que los levanta balanceándolos como un péndulo. ¡Sí! lancheros; el viejo y el muchacho, el padre y el hijo; ambos a horcajadas sobre un cajón, ambos forcejando, ambos ganando su jornal, para ellos y para sus queridas sanguijuelas del conventillo.

Íbanse todos los días al trabajo, vestidos de viejo, fajadas las cinturas con sendas bandas coloradas, y haciendo sonar a una sus zapatos groseros y pesados que se quitaban al comenzar la tarea, tirándolos en un rincón de la lancha.

Empezaba el trajín, el cargar y descargar. El padre era cuidadoso: —¡Muchacho, que te rompes la cabeza! ¡Que te coge la mano el chicote! ¡Que vas a perder una canilla!—. Y enseñaba, adiestraba, dirigía al hijo, con su modo, con sus bruscas palabras de obrero viejo y de padre encariñado.

Hasta que un día el tío Lucas no pudo moverse de la cama, porque el reumatismo le hinchaba las coyunturas y le taladraba los huesos.

¡Oh! Y había que comprar medicinas y alimentos; eso sí.

—Hijo, al trabajo, a buscar plata; hoy es sábado.

Y se fue el hijo, solo, casi corriendo, sin desayunarse, a la faena diaria.

Era un bello día de luz clara, de sol de oro. En el muelle rodaban los carros sobre sus rieles, crujían las poleas, chocaban las cadenas. Era la gran confusión del trabajo que da vértigo: el son del hierro, traqueteos por doquiera, y el viento pasando por el bosque de árboles y jarcias de los navíos en grupo.

Debajo de uno de los pescantes del muelle estaba el hijo del tío Lucas con otros lancheros, descargando a toda prisa. Había que vaciar la lancha repleta de fardos. De tiempo en tiempo bajaba la larga cadena que remata en un garfio, sonando como una matraca al correr con la roldana; los mozos amarraban los bultos con una cuerda doblada en dos, los enganchaban en el garfio, y entonces éstos subían a la manera de un pez en un anzuelo, o del plomo de una sonda, ya quietos, ya agitándose de un lado a otro, como un badajo, en el vacío.

La carga estaba amontonada. La ola movía pausadamente de cuando en cuando la embarcación colmada de fardos. Éstos formaban una a modo de pirámide en el centro. Había uno muy pesado, muy pesado. Era el más grande de todos, ancho, gordo y oloroso a brea. Venía en el fondo de la lancha. Un hombre de pie sobre él, era pequeña figura para el grueso zócalo.

Era algo como todos los prosaísmos de la importación envueltos en lona y fajados con correas de hierro. Sobre sus costados, en medio de líneas y de triángulos negros, había letras que miraban como ojos. —Letras en «diamante»— decía el tío Lucas. Sus cintas de hierro estaban apretadas con clavos cabezudos y ásperos; y en las entrañas tendría el monstruo, cuando menos, linones y percales.

Sólo él faltaba.

—¡Se va el bruto! —dijo uno de los lancheros.

—¡El barrigón! —agregó otro.

Y el hijo del tío Lucas, que estaba ansioso de acabar

pronto, se alistaba para ir a cobrar y desayunarse, anu-
dándose un pañuelo a cuadros al pescuezo.

Bajó la cadena danzando en el aire. Se amarró un gran
lazo al fardo, se probó si estaba bien seguro, y se gritó:
—¡Iza!— mientras la cadena tiraba de la masa chirriando
y levantándola en vilo.

Los lancheros, de pie, miraban subir el enorme peso,
y se preparaban para ir a tierra, cuando se vio una cosa
horrible. El fardo, el grueso fardo, se zafó del lazo, como
de un collar holgado saca un perro la cabeza; y cayó sobre el hijo del tío Lucas, que entre el filo de la lancha
y el gran bulto quedó con los riñones rotos, el espinazo
desencajado y echando sangre negra por la boca.

Aquel día no hubo pan ni medicinas en casa del tío
Lucas, sino el muchacho destrozado, al que se abrazaba
llorando el reumático, entre la gritería de la mujer y de
los chicos, cuando llevaban el cadáver al cementerio.

Me despedí del viejo lanchero, y a pasos elásticos dejé
el muelle, tomando el camino de la casa, y haciendo filosofía con toda la cachaza de un poeta, en tanto que una
brisa glacial, que venía de mar afuera, pellizcaba tenaz-
mente las narices y las orejas.

El velo de la reina Mab

La reina Mab[1], en su carro hecho de una sola perla, tirado por cuatro coleópteros de petos dorados y alas de pedrería, caminando sobre un rayo de sol, se coló por la ventana de una buhardilla donde estaban cuatro hombres flacos, barbudos e impertinentes, lamentándose como unos desdichados.

Por aquel tiempo, las hadas habían repartido sus dones a los mortales. A unos habían dado las varitas misteriosas que llenan de oro las pesadas cajas del comercio; a otros, unas espigas maravillosas que al desgranarlas colmaban las trojes de riqueza; a otros, unos cristales que hacían ver en el riñón[2] de la madre tierra, oro y piedras preciosas; a quiénes, cabelleras espesas y músculos de Goliat, y mazas enormes para machacar el hierro encendido, y a quiénes, talones fuertes y piernas ágiles para montar en las rápidas caballerías qua se beben el viento y que tienden las crines en la carrera.

Los cuatro hombres se quejaban. Al uno le había tocado en suerte una cantera, al otro el iris, al otro el ritmo, al otro el cielo azul.

La reina Mab oyó sus palabras. Decía el primero:

—¡Y bien! ¡Heme aquí en la gran lucha de mis sueños de mármol! Yo he arrancado el bloque y tengo el

---

[1] *reina Mab:* en el drama *Romeo y Julieta* de Shakespheare, la reina Mab es la que trae los sueños.

[2] *riñón:* aquí, la parte profunda de la tierra.

cincel. Todos tenéis, unos el oro, otros la armonía, otros la luz; yo pienso en la blanca y divina Venus, que muestra su desnudez bajo el plafón[3] color del cielo. Yo quiero dar a la masa la línea y la hermosura plástica; y que circule por las venas de la estatua una sangre incolora como la de los dioses. Yo tengo el espíritu de Grecia en el cerebro, y amo los desnudos en que la ninfa huye y al fauno tiende los brazos. ¡Oh Fidias. Tú eres para mí soberbio y augusto como un semidiós en el recinto de la eterna belleza, rey ante un ejército de hermosuras que a tus ojos arroja el magnífico Kitón[4], mostrando la esplendidez de la forma en sus cuerpos de rosa y de nieve.

Tú golpeas, hieres y domas el mármol, y suena el golpe armónico como un verso, y te adula la cigarra, amante del sol, oculta entre los pámpanos de la viña virgen. Para ti son los Apolos rubios y luminosos, las Minervas severas y soberanas. Tú, como un mago, conviertes la roca en simulacro y el colmillo de elefante en copa del festín. Y al ver tu grandeza siento el martirio de mi pequeñez. Porque pasaron os tiempos gloriosos. Porque tiemblo ante las miradas de hoy. Porque contemplo el ideal inmenso y las fuerzas exhaustas. Porque a medida que cincelo el bloque me ataraza[5] el desaliento.

Y decía el otro:
—Lo que es hoy romperé mis pinceles. ¿Para qué quiero el iris y esta gran paleta de campo florido, si a la postre mi cuadro no será admitido en el salón? ¿Qué abordaré? He recorrido todas las escuelas, todas las inspiraciones artísticas. He pintado el torso de Diana y el rostro de la Madona. He pedido a las campiñas sus colores, sus matices; he adulado a la luz como a una ama-

---

[3] *plafón:* galicismo por 'techo'.
[4] *Kitón:* especie de camisa o ligera túnica. El escultor griego Fidias fue maestro en representar los pliegues de las túnicas. Obsérvese, una vez más, la convención de los poetas modernistas de utilizar con gran profusión las mayúsculas.
[5] *ataraza:* ataca, invade.

178

da, y la he abrazado como a una querida. He sido adorador del desnudo con sus magnificencias, con los tonos de sus carnaciones [6] y con sus fugaces medias tintas. He trazado en mis lienzos los nimbos de los santos y las alas de los querubines. ¡Ah!, pero siempre el terrible desencanto. ¡El porvenir! ¡Vender una Cleopatra en dos pesetas para poder almorzar!

Y yo, ¡que podría en el estremecimiento de mi inspiración trazar el gran cuadro que tengo aquí dentro!

Y decía el otro:

—Perdida mi alma en la gran ilusión de mis sinfonías, temo todas las decepciones. Yo escucho todas las armonías, desde la lira de Terpandro [7] hasta las fantasías orquestales de Wagner. Mis ideales brillan en medio de mis audacias de inspirado. Yo tengo la percepción del filósofo que oyó la música de los astros. Todos los ruidos pueden aprisionar, todos los ecos son susceptibles de combinaciones. Todo cabe en la línea de mis escalas cromáticas.

La luz vibrante es himno, y la melodía de la selva halla un eco en mi corazón. Desde el ruido de la tempestad hasta el canto del pájaro, todo se confunde y enlaza en la infinita cadencia.

Entretanto, no diviso sino la muchedumbre que befa, y la celda del manicomio.

Y el último:

—Todos bebemos del agua clara de la fuente de Jonia [8]. Pero el ideal flota en el azul; y para que los espíritus gocen de la luz suprema es preciso que asciendan. Yo tengo el verso que es de miel, y el que es de oro, y el que es de hierro candente.

Yo soy el ánfora del celeste perfume: tengo el amor.

---

[6] *carnaciones:* colores naturales.
[7] *Terpandro:* músico griego que vivió en el siglo VII antes de Cristo y a quien se atribuye haber añadido tres cuerdas a la lira de cuatro.
[8] *fuente de Jonia:* se refiere a los poetas líricos griegos.

Paloma, estrella, nido, lirio, vosotros conocéis mi morada. Para los vuelos inconmensurables tengo alas de águila que parten a golpes mágicos el huracán. Y para hallar consonantes, las busco en dos bocas que se juntan; y estalla el beso, y escribo la estrofa, y entonces, si veis mi alma, conoceréis a mi musa. Amo las epopeyas, porque de ellas brota el soplo heroico que agita las banderas que ondean sobre las lanzas y los penachos que tiemblan sobre los cascos; los cantos líricos, porque hablan de las diosas y de los amores; y las églogas, porque son olorosas a verbena y tomillo, y el santo aliento del buey coronado de rosas. Yo escribiría algo inmortal; mas me abruma un porvenir de miseria y de hambre.

Entonces, la reina Mab, del fondo de su carro hecho de una sola perla, tomó un velo azul, casi impalpable, como formado de suspiros, o de miradas de ángeles rubios y pensativos. Y aquel velo era el velo de los sueños, de los dulces sueños, que hacen ver la vida de color de rosa. Y con él envolvió a los cuatro hombres flacos, barbudos e impertinentes. Los cuales cesaron de estar tristes, porque penetró en su pecho la esperanza, y en su cabeza el sol alegre, con el diablillo de la vanidad, que consuela en sus profundas decepciones a los pobres artistas.

Y desde entonces, en las buhardillas de los brillantes infelices, donde flota el sueño azul, se piensa en el porvenir como en la aurora, y se oyen risas que quitan la tristeza, y se bailan extrañas farándulas [9] alrededor de un blanco Apolo, de un lindo paisaje, de un violín viejo, de un amarillento manuscrito.

---

[9] *farándulas*: farandolas, danza del sur de Francia.

La muerte de la emperatriz de la China

Delicada y fina como una joya humana, vivía aquella muchachita de carne rosada, en la pequeña casa que tenía un saloncito con los tapices de color azul desfalleciente. Era su estuche.

¿Quién era el dueño de aquel delicioso pájaro alegre, de ojos negros y boca roja? ¿Para quién cantaba su canción divina, cuando la señorita Primavera mostraba en el triunfo del sol su bello rostro riente, y abría las flores del campo, y alborotaba la nidada? Suzette se llamaba la avecita que había puesto en jaula de seda, peluches y encajes, un soñador artista cazador, que la había cazado una mañana de mayo en que había mucha luz en el aire y muchas rosas abiertas.

Recaredo —capricho paternal, él no tenía la culpa de llamarse Recaredo— se había casado hacía año y medio. —¿Me amas? —Te amo. ¿Y tú? —Con toda el alma. Hermoso el día dorado, después de lo del cura. Habían ido luego al campo nuevo, a gozar libres del gozo del amor. Murmuraban allá en sus ventanas de hojas verdes, las campanillas, y las violetas silvestres que olían cerca del riachuelo, cuando pasaban los dos amantes, el brazo de él en la cintura de ella, el brazo de ella en la cintura de él, los rojos labios en flor dejando escapar los besos. Después, fue la vuelta a la gran ciudad, al nido lleno de perfume, de juventud y de calor dichoso.

¿Dije ya que Recaredo era escultor? Pues si no lo he dicho, sabedlo.

Era escultor. En la pequeña casa tenía su taller, con profusión de mármoles, yesos, bronces y terracotas. A veces, los que pasaban oían a través de las rejas y persianas una voz que cantaba y un martilleo vibrante y metálico. Suzette, Recaredo, la boca que emergía el cántico y el golpe del cincel.

Luego el incesante idilio nupcial. En puntillas, llegar donde él trabajaba, e inundándole de cabellos la nuca, besarle rápidamente. Quieto, quietecito, llegar donde ella duerme en su *chaise longue,* los piececitos calzados y con medias negras, uno sobre otro, el libro abierto sobre el regazo, medio dormida; y allí el beso es en los labios, beso que sorbe el aliento y hace que se abran los ojos inefablemente luminosos. Y a todo esto, las carcajadas del mirlo; un mirlo enjaulado que cuando Suzette toca de Chopín, se pone triste y no canta. ¡Las carcajadas del mirlo! No era poca cosa. —¿Me quieres? —¿No lo sabes? —¿Me amas? —¡Te adoro! Ya estaba el animalucho echando toda la risa del pico. Se le sacaba de la jaula, revolaba por el saloncito azulado, se detenía en la cabeza de un Apolo de yeso, o en la frámea de un viejo germano de bronce oscuro. Tiiiiiifit... rrrrrrich... fiii... ¡Vaya que a veces era mal criado e insolente en su algarabía! Pero era lindo sobre la mano de Suzette que le mimaba, le apretaba el pico entre su dientes hasta hacerlo desesperar, y le decía a veces con una voz severa que temblaba de terneza: ¡Señor mirlo, es usted un picarón!

Cuando los dos amados estaban juntos, se arreglaban uno a otro el cabello. «Canta», decía él. Y ella cantaba lentamente; y aunque no era sino pobres muchachos enamorados, se veían hermosos, gloriosos y reales; él la miraba como a una Elsa [1] y ella le miraba como a un Lohengrin. Porque el Amor, ¡oh jóvenes llenos de sangre

---

[1] *Elsa de Brabante:* Personaje en un cuento alemán de Wolfran de Eschenbach, que es salvada de la muerte por un caballero misterioso llamado Lohengrín, con quien se casa después de prometerle que nunca le preguntará sobre sus orígenes (para más detalles ver notas al poema «Blasón»).

y de sueños!, pone un azul de cristal ante los ojos, y da las infinitas alegrías.

¡Cómo se amaban! Él la contemplaba sobre las estrellas de Dios; su amor recorría toda la escala de la pasión, y era ya contenido, ya tempestuoso en su querer, a veces casi místico. En ocasiones dijérase aquel artista un teósofo que veía en la amada mujer algo supremo y extrahumano como la Ayesha de Rider Haggard[2], la aspiraba como una flor, le sonreía como a un astro y se sentía soberbiamente vencedor al estrechar contra su pecho aquella adorable cabeza, que cuando estaba pensativa y quieta, era comparable al perfil hierático de la medalla de una emperatriz bizantina.

Recaredo amaba su arte. Tenía la pasión de la forma; hacía brotar del mármol gallardas diosas desnudas de ojos blancos, serenos y sin pupilas; su taller estaba poblado de un pueblo de estatuas silenciosas, animales de metal, gárgolas[3] terroríficas, grifos[4] de largas colas vegetales, creaciones góticas quizá inspiradas por el ocultismo. ¡Y, sobre todo, la gran afición! Japonerías y chinerías. Recaredo era en esto un original. No sé qué habría dado por hablar chino o japonés. Conocía los mejores álbums; había leído buenos exotistas, adoraba a Loti[5] y a Judith Gautier[6], y hacía sacrificios por adquirir trabajos legítimos, de Yokoama, de Nagasaki, de Kioto o de Nankin o Pekin: los cuchillos, las pipas, las máscaras feas y misteriosas como las caras de los sueños hípnicos, los mandarinitos enanos con panzas de cucurbitáceos y ojos cir-

---

[2] *Ayesha... Haggard:* Ayesha es un personaje ideal en la novela titulada con su nombre, del escritor inglés Rider Haggard (1856-1925).

[3] *gárgolas:* pieza escultórica colocada en las cornisas de los tejados para desviar las aguas de lluvia. Generalmente representan figuras deformes y monstruosas.

[4] *grifos:* animales fantásticos, alados, con cuerpo de león y cabeza de pájaro.

[5] *Pierre Loti* (1850-1923): novelista francés, especializado en temas exóticos.

[6] *Judith Gautier* (1846-1917): escritora francesa, hija del famoso novelista romántico Théophile Gautier.

cunflejos, los monstruos de grandes bocas de batracio, abiertas y dentadas y diminutos soldados de Tartaria, con faces foscas.

—¡Oh —le decía Suzette—, aborrezco tu casa de brujo, ese terrible taller, arca extraña que te roba a mis caricias!

Él sonreía, dejaba su lugar de labor, su templo de raras chucherías y corría al pequeño salón azul, a ver y mimar su gracioso dije vivo, y oír cantar y reír al loco mirlo jovial.

Aquella mañana, cuando entró, vio que estaba su dulce Suzette, soñolienta y tendida, cerca de un tazón de rosas que sostenía un trípode. ¿Era la Bella durmiente del bosque? Medio dormida, el delicado cuerpo modelado bajo una bata blanca, la cabellera castaña apelotonada sobre uno de los hombros, toda ella exhalando un suave olor femenino, era como una deliciosa figura de los amables cuentos que empiezan: «Éste era un rey...»

La despertó:

—¡Suzette; mi bella!

Traía la cara alegre; le brillaban los ojos negros bajo su fez rojo de labor; llevaba una carta en la mano.

—Carta de Robert, Suzette. ¡El bribonazo está en China! «Hong Kong, 18 de enero...» Suzette, un tanto amodorrada, se había sentado y le había quitado el papel. ¡Conque aquel andariego había llegado tan lejos! «Hong Kong, 18 de enero...» Era gracioso. ¡Un excelente muchacho el tal Robert, con la manía de viajar! Llegaría al fin del mundo. ¡Robert, un grande amigo! Se veían como de la familia. Había partido hacía dos años para San Francisco de California. ¡Habríase visto loco igual!

Comenzó a leer:

«Hong Kong, 18 de enero de 1888.

»Mi buen Recaredo:

»Vine y vi. No he vencido aún.

»En San Francisco supe vuestro matrimonio y me

alegré. Di un salto y caí en la China. He venido como agente de una casa californiana, importadora de sedas, lacas, marfiles y demás chinerías. Junto con esta carta debes recibir un regalo mío que, dada tu afición por las cosas de este país amarillo, te llegará de perlas. Ponme a los pies de Suzette, y conserva el obsequio en memoria de tu

Robert.»

Ni más, ni menos. Ambos soltaron la carcajada. El mirlo, a su vez, hizo estallar la jaula en una explosión de gritos musicales.

La caja había llegado, una caja de regular tamaño, llena de marchamos [7], de números y de letras negras que decían y daban a entender que el contenido era muy frágil. Cuando la caja se abrió, apareció el misterio. Era un fino busto de porcelana, un admirable busto de mujer sonriente, pálido y encantador. En la base tenía tres inscripciones, una en caracteres chinescos, otra en inglés y otra en francés: *La emperatriz de la China.* ¡La emperatriz de la China! ¡Qué manos de artista asiático habían modelado aquellas formas atrayentes de misterio? Era una cabellera recogida y apretada, una faz enigmática, ojos bajos y extraños, de princesa celeste, sonrisa de esfinge, cuello erguido sobre los hombros columbinos [8], cubiertos por una honda de seda bordada de dragones, todo dando magia a la porcelana blanca, con tonos de cera, inmaculada y cándida. ¡La emperatriz de la China! Suzette pasaba sus dedos de rosa sobre los ojos de aquella graciosa soberana, un tanto inclinados, con sus curvos epicantus [9] bajo los puros y nobles arcos de las cejas. Estaba contenta. Y Recaredo sentía orgullo de poseer su porcelana. Le haría un gabinete especial, para que viviese

---

[7] *marchamos:* marcas de procedencia.

[8] *columbinos:* semejantes a los de la paloma.

[9] *epicantus:* epicanto, anomalía de los párpados característica de la raza mongol, en la que un pliegue de piel se extiende desde la raíz nasal al extremo interno de la ceja.

y reinase sola, como en el Louvre la Venus de Milo, triunfadora, cobijada imperialmente por el plafón de su recinto sagrado.

Así lo hizo. En un extremo del taller, formó un gabinete minúsculo, con biombos cubiertos de arrozales y de grullas. Predominaba la nota amarilla. Toda la gama, oro, fuego, ocre de Oriente, hoja de otoño, hasta el pálido que agoniza fundido en la blancura. En el centro, sobre un pedestal dorado y negro, se alzaba riendo la exótica imperial. Alrededor de ella había colocado Recaredo todas sus japonerías y curiosidades chinas. La cubría un gran quitasol nipón, pintado de camelias y de anchas rosas sangrientas. Era cosa de risa, cuando el artista soñador, después de dejar la pipa y los pinceles, llegaba frente a la emperatriz, con las manos cruzadas sobre el pecho, a hacer zalemas. Una, dos, diez, veinte veces la visitaba. Era una pasión. En un plato de laca yokoamesa le ponía flores frescas todos los días. Tenía, en momentos, verdaderos arrobos delante del busto asiático que le conmovía en su deleitable e inmóvil majestad. Estudiaba sus menores detalles, el caracol de la oreja, el arco del labio, la nariz pulida, el epicantus del párpado. ¡Un ídolo, la famosa emperatriz! Suzette le llamaba de lejos: —¡Recaredo!

—¡Voy!— y seguía en la contemplación de su obra de arte. Hasta que Suzette llegaba a llevárselo a rastras y a besos.

Un día, las flores del plato de laca desaparecieron como por encanto.

—¿Quién ha quitado las flores? —gritó el artista, desde el taller.

—Yo —dijo una voz vibradora.

Era Suzette, que entreabría una cortina, toda sonrosada y haciendo relampaguear sus ojos negros.

Allá en lo hondo de su cerebro se decía el señor Recaredo, artista escultor: —¿Qué tendrá mi mujercita? No comía casi. Aquellos buenos libros desflorados por su espátula de marfil, estaban en el pequeño estante negro,

186

con sus hojas cerradas sufriendo la nostalgia de las blandas manos de rosa y del tibio regazo perfumado. El señor Recaredo la veía triste. ¿Qué tendrá mi mujercita? En la mesa no quería comer. Estaba seria. ¡Qué seria! La miraba a veces con el rabo del ojo, y el marido veía aquellas pupilas oscuras, húmedas, como si quisieran llorar. Y ella al responder, hablaba como los niños a quienes se ha negado un dulce. ¿Qué tendrá mi mujercita? ¡Nada! Aquel «nada» lo decía ella con voz de queja, y entre sílaba y sílaba había lágrimas.

—¡Oh, señor Recaredo! Lo que tiene vuestra mujercita es que sois un hombre abominable. ¿No habéis notado que desde que esa buena de la emperatriz de la China ha llegado a vuestra casa, el saloncito azul se ha entristecido, y el mirlo no canta ni ríe con su risa perlada? Suzette despierta a Chopín, y lentamente hace brotar la melodía enferma y melancólica del negro piano sonoro. ¡Tiene celos, señor Recaredo! Tiene el mal de los celos, ahogador y quemante, como una serpiente encendida que aprieta el alma. ¡Celos! Quizá él lo comprendía, porque una tarde dijo a la muchachita de su corazón estas palabras, frente a frente, a través del humo de una taza de café:

—Eres demasiado injusta. ¿Acaso no te amo con toda mi alma? ¿Acaso no sabes leer en mis ojos lo que hay dentro de mi corazón?

Suzette rompió a llorar. ¡Que la amaba! No, ya no la amaba. Habían huido las buenas y radiantes horas, y los besos que chasqueaban también eran idos, como pájaros en fuga. Ya no la quería. Y a ella, a la que él veía su religión, su delicia, su sueño, su rey, a ella, a Suzette, la había dejado por la otra.

¡La otra! Recaredo dio un salto. Estaba engañada. ¿Lo diría por la rubia Eulogia, a quien en un tiempo había dirigido madrigales?

Ella movió la cabeza: —No. ¿Por la ricachona Gabriela, de largos cabellos negros, blanca como un alabastro y cuyo busto había hecho? ¿O por aquella Luisa, la danzarina, que tenía una cintura de avispa, un seno de buena nodriza y unos ojos incendiarios? ¿O por la viudita Andrea, que al reír sacaba la punta de la lengua, roja y felina, entre sus dientes brillantes y marfilados?

No, no era ninguna de ésas. Recaredo se quedó con gran asombro. —Mira, chiquilla, dime la verdad. ¿Quién es ella? Sabes cuánto te adoro, mi Elsa, mi Julieta [10], amor mío.

Temblaba tanta verdad de amor en aquellas palabras entrecortadas y trémulas, que Suzette, con los ojos enrojecidos, secos ya de lágrimas, se levantó irguiendo su linda cabeza heráldica.

—¿Me amas?

—¡Bien lo sabes!

—Deja, pues, que me vengue de mi rival. Ella o yo, escoge. Si es cierto que me adoras, ¿querrás permitir que la aparte para siempre de tu camino, que quede yo sola, confiada en tu pasión?

—Sea —dijo Recaredo.

Y viendo irse a su avecita celosa y terca, prosiguió sorbiendo el café tan negro como la tinta.

No había tomado tres sorbos, cuando oyó un gran ruido de fracaso en el recinto de su taller.

Fue: ¿Qué miraron sus ojos? El busto había desaparecido del pedestal de negro y oro, y entre minúsculos mandarines caídos y descolgados abanicos, se veían por el suelo pedazos de porcelana que crujían bajo los pequeños zapatos de Suzette, quien toda encendida y con el cabello suelto, aguardando los besos, decía entre carcajadas argentinas al maridito asustado: —Estoy vengada. ¡Ha muerto ya para ti la emperatriz de la China!

Y cuando comenzó la ardiente reconciliación de los labios, en el saloncito azul, todo lleno de regocijo, el mirlo, en su jaula, se moría de risa.

---

[10] *Elsa, Julieta:* nombres de personajes literarios; para el primero ver nota anterior sobre ella; la segunda, protagonista femenina de *Romeo y Julieta* de Shakespeare.

El caso de la señorita Amelia

Que el doctor Z es ilustre, elocuente, conquistador; que su voz es profunda y vibrante al mismo tiempo, y su gesto avasallador y misterioso, sobre todo después de la publicación de su obra sobre *La plástica de ensueño,* quizá podríais negármelo o aceptármelo con restricción; pero que su calva es única, insigne, hermosa, solemne, lírica si gustáis, ¡oh, eso nunca, estoy seguro! ¿Cómo negaríais la luz del sol, el aroma de las rosas y las propiedades narcóticas de ciertos versos? Pues bien; esta noche pasada, poco después que saludamos el toque de las doce con una salva de doce taponazos del más legítimo Roederer [1], en el precioso comedor rococó de ese sibarita de judío que se llama Lowensteinger, la calva del doctor alzaba, aureolada de orgullo, su bruñido orbe de marfil, sobre el cual, por un capricho de la luz, se veían sobre el cristal de un espejo las llamas de dos bujías que formaban, no sé cómo, algo así como los cuernos luminosos de Moisés. El doctor enderezaba hacia mí sus grandes gestos y sus sabias palabras. Yo había soltado de mis labios, casi siempre silenciosos, una frase banal cualquiera. Por ejemplo, ésta:

—¡Oh, si el tiempo pudiera detenerse!

La mirada que el doctor me dirigió y la clase de sonrisa que decoró su boca después de oír mi exclamación, confieso que hubiera turbado a cualquiera.

---

[1] *Roederer:* marca de un famoso champagne.

—Caballero —me dijo saboreando el champaña—; si yo no estuviese completamente desilusionado de la juventud; si no supiese que todos los que hoy empezáis a vivir estáis ya muertos, es decir, muertos del alma, sin fe, sin entusiasmo, sin ideales, canosos por dentro; que no sois sino máscaras de vida, nada más... sí, si no supiese eso, si viese en vos algo más que un hombre de fin de siglo, os diría que esa frase que acabáis de pronunciar: «¡Oh, si el tiempo pudiera detenerse!», tiene en mí la respuesta más satisfactoria.

—¡Doctor!

—Sí, os repito que vuestro escepticismo me impide hablar, como hubiera hecho en otra ocasión.

—Creo —contesté con voz firme y serena— en Dios y su Iglesia. Creo en los milagros. Creo en lo sobrenatural.

—En ese caso, voy a contaros algo que os hará sonreír. Mi narración espero que os hará pensar.

En el comedor habíamos quedado cuatro convidados, a más de Minna, la hija del dueño de casa; el periodista Riquet, el abate Pureau, recién enviado por Hirch, el doctor y yo. A lo lejos oíamos en la alegría de los salones la palabrería usual de la hora primera del año nuevo: *Happy New Year! Happy New Year!* ¡Feliz año nuevo!

El doctor continuó:

—¿Quién es el sabio que se atreve a decir *esto es así?* Nada se sabe. *Ignoramus et ignorabimus* [2]. ¿Quién conoce a punto fijo la noción del tiempo? ¿Quién sabe con seguridad lo que es el espacio? Va la ciencia a tanteo, caminando como una ciega, y juzga a veces que ha vencido cuando logra advertir un vago reflejo de la luz verdadera. Nadie ha podido desprender de su círculo uniforme la culebra simbólica. Desde el tres veces más grande, el Hermes [3], hasta nuestros días, la mano humana ha podido apenas alzar una línea del manto que cubre a la

[2] *Ignoramus et ignorabimus:* nada sabemos ahora y nunca sabremos nada.

[3] *Hermes:* dios de la mitología griega, heraldo y mensajero de los dioses.

eterna Isis[4]. Nada ha logrado saberse con absoluta seguridad en las tres grandes expresiones de la Naturaleza: hechos, leyes, principios. Yo que he intentado profundizar en el inmenso campo del misterio, he perdido casi todas mis ilusiones.

Yo que he sido llamado sabio en Academias ilustres y libros voluminosos; yo que he consagrado toda mi vida al estudio de la humanidad, sus orígenes y sus fines; yo que he penetrado en la cábala, en el ocultismo y en la teosofía, que he pasado del plano material del *sabio* al plano astral del *mágico* y al plano espiritual del *mago,* que sé cómo obraban Apolonio el Thianense[5] y Paracelso[6], y que he ayudado en su laboratorio, en nuestros días, al inglés Crookes[7], yo que ahondé en el Karma búdhico[8] y en el misticismo cristiano, y sé al mismo tiempo la ciencia desconocida de los fakires[9], la teología de los sacerdotes romanos, yo os digo que *no hemos visto los sabios ni un solo rayo de la luz suprema,* y que la inmensidad y la eternidad del *misterio* forman la única y pavorosa verdad.

Y dirigiéndose a mí:

—¿Sabéis cuáles son los principios del hombre? Grupa, jiba, linga, sharira, kama, rupa, manas, buddhi, atma[10], es decir: el cuerpo, la fuerza vital, el cuerpo astral, el alma animal, el alma humana, la fuerza espiritual y la esencia espiritual...

Viendo a Minna poner una cara un tanto desolada, me atreví a interrumpir al doctor:

---

[4] *Isis:* diosa egipcia de la fertilidad.

[5] *Thianense:* mago y filósofo griego, murió en el año 97 después de Cristo.

[6] *Paracelso* (1493-1541, fecha aproximada la de nacimiento): alquimista y médico alemán.

[7] *Sir William Crookes* (1832-1919): químico y médico inglés.

[8] *Karma búdico:* en el budismo el karma es el efecto de los actos de una persona sobre su destino en su existencia siguiente.

[9] *fakires:* ascetas mahometanos que viven de limosnas y con frecuencia afirman que son capaces de hacer milagros.

[10] *Grupa... atma:* palabras de origen oriental muy usadas por los espiritistas.

—Me parece que íbais a demostrarnos que el tiempo...

—Y bien —dijo—, puesto que no os placen las disertaciones por prólogo, vamos al cuento que debo contaros, y es el siguiente:

Hace veintitrés años conocí en Buenos Aires a la familia Revall, cuyo fundador, un excelente caballero francés, ejerció un cargo consular en tiempo de Rosas. Nuestras casas eran vecinas, era yo joven y entusiasta, y las tres señoritas Revall hubieran podido hacer competencia a las tres gracias. De más está decir que muy pocas chispas fueron necesarias para encender una hoguera de amor...

Amooor, pronunciaba el sabio obeso, con el pulgar de la diestra metido en la bolsa del chaleco, y tamborileando sobre su potente abdomen con los dedos ágiles y regordetes, y continuó:

—Puedo confesar francamente que no tenía predilección por ninguna, y que Luz, Josefina y Amelia ocupaban en mi corazón el mismo lugar. El mismo, tal vez no; pues los dulces al par que ardientes ojos de Amelia, su alegre y roja risa, su picardía infantil... diré que era ella mi preferida. Era la menor; tenía doce años apenas, y yo ya había pasado de los treinta. Por tal motivo, y por ser la chicuela de carácter travieso y jovial, tratábala yo como niña que era, y entre las otras dos repartía mis miradas incendiarias, mis suspiros, mis apretones de manos y hasta mis serias promesas de matrimonio, en una, os lo confieso, atroz y culpable bigamia de pasión. ¡Pero la chiquilla Amelia!... Sucedía que, cuando yo llegaba a la casa, era ella quien primero corría a recibirme, llena de sonrisas y zalamerías: «¿Y mis bombones?» He aquí la pregunta sacramental. Yo me sentaba regocijado, después de mis correctos saludos, y colmaba las manos de la niña de ricos caramelos de rosa y de deliciosas grajeas de chocolate, los cuales, ella, a plena boca, saboreaba con una sonora música palatinal, lingual y dental. El porqué de mi apego a aquella muchachita de vestido a media pierna y de ojos lindos, no os lo podré explicar; pero es el caso que, cuando por causa de mis estudios tuve que

dejar Buenos Aires, fingí alguna emoción al despedirme
de Luz, que me miraba con anchos ojos doloridos y sen-
timentales; di un falso apretón de manos a Josefina, que
tenía entre los dientes, por no llorar, un pañuelo de
batista, y en la frente de Amelia incrusté un beso, el más
puro y el más encendido, el más casto y el más ardiente
¡qué sé yo! de todos los que he dado en mi vida. Y salí
en un barco para Calcuta, ni más ni menos que como
vuestro querido y admirado general Mansilla [11] cuando
fue a Oriente, lleno de juventud y de sonoras y flamantes esterlinas de oro. Iba yo, sediento ya de las ciencias
ocultas, a estudiar entre los mahatmas [12] de la India lo que
la pobre ciencia occidental no puede enseñarnos todavía.
La amistad epistolar que mantenía con madama Blavatsky [13], habíame abierto ancho campo en el país de los fakires, y más de un gurú [14]. que conocía mi sed de saber,
se encontraba dispuesto a conducirme por buen camino
a la fuente sagrada de la verdad, y si es cierto que mis
labios creyeron saciarse en sus frescas aguas diamantinas,
mi sed no se pudo aplacar. Busqué, busqué con tesón lo
que mis ojos ansiaban contemplar, el Keherpas de Zoroastro, el Kalep [15] persa, el Kovei-Khan de la filosofía india, el archoeno de Paracelso, el limbuz de Swedenborg [16];
oí la palabra de los monjes budhistas en medio de las
florestas del Thibet; estudié los diez sephiroth de la Kabala [17], desde el que simboliza el espacio sin límites has-

---

[11] *Mansilla:* militar y escritor argentino, autor del famoso libro: *Viaje a los indios ranqueles.*
[12] *mahatmas:* título dado en la India a los jefes religiosos
importantes.
[13] *Elena Petrovna Blavatsky* (1831-1891): escritora rusa, famosa renovadora del teosofismo.
[14] *gurú:* maestro religioso en la India.
[15] *Kalep:* Califa, jefe religioso.
[16] *Enmanuel Swedenborg* (1688-1772): filósofo y escritor sue-
co de inspiración mística que creía que el fin del hombre era
unirse con el espíritu del universo y hacerse a la imagen de
su creador.
[17] *diez... Kabala:* las diez personas, inteligencias o atributos
de Dios en el sistema cabalístico, en el cual los rabinos judíos

ta el que, llamado Malkuth [18], encierra el principio de la vida. Estudié el espíritu, el aire, el agua, el fuego, la altura, la profundidad, el Oriente, el Occidente, el Norte y el Mediodía; y llegué casi a comprender y aun a conocer íntimamente a Satán, Lucifer, Astharot, Beelzebutt, Asmodeo, Belphegor, Mabema, Lilith [19], Adrameleh y Baal [20]. En mis ansias de comprensión; en mi insaciable deseo de sabiduría, cuando juzgaba haber llegado al logro de mis ambiciones, encontraba los signos de mi debilidad y las manifestaciones de mi pobreza, y estas ideas, Dios, el espacio, el tiempo, formaban la más impenetrable bruma delante de mis pupilas... Viajé por Asia, África, Europa y América. Ayudé al coronel Olcot a fundar la rama teosófica de Nueva York. Y a todo esto —recalcó de súbito el doctor, mirando fijamente a la rubia Minna— ¿sabéis lo que es la ciencia y la inmortalidad de todo? ¡Un par de ojos azules... o negros!

—¿Y el fin del cuento? —gimió dulcemente la señorita.

El doctor, más serio que nunca, dijo:

—Juro, señores, que lo que estoy refiriendo es de una absoluta verdad. ¿El fin del cuento? Hace apenas una semana he vuelto a la Argentina, después de veintitrés años de ausencia. He vuelto gordo, bastante gordo, y calvo como una rodilla; pero en mi corazón he mantenido ardiente el fuego del amor, la vestal de los solterones. Y, por tanto, lo primero que hice fue indagar el paradero de la familia Revall. «¡Las Revall —me dijeron—, las del caso de Amelia Revall!» y estas palabras acompañadas con una especial sonrisa. Llegué a sospechar que la pobre Amelia, la pobre chiquilla... Y bus-

---

y ciertas sectas cristianas de la edad media daban una interpretación mística a las Escrituras.

[18] *Malkuth:* uno de los diez sefirots, llamado la Reina, Matrona y Madre inferior.

[19] *Satán... Lilith:* figuras demoníacas.

[20] *Adrameleh y Baal:* parricida asirio y dios del sol, respectivamente. El último era la suprema dignidad masculina de las antiguas naciones sirio-fenicias.

cando, buscando, di con la casa. Al entrar, fui recibido por un criado negro y viejo, que llevó mi tarjeta, y me hizo pasar a una sala donde todo tenía un vago tinte de tristeza. En las paredes, los espejos estaban cubiertos con velos de luto, y dos grandes retratos, en los cuales reconocía a las dos hermanas mayores, se miraban melancólicos y oscuros sobre el piano. A poco, Luz y Josefina:

—¡Oh amigo mío, oh amigo mío!

Nada más. Luego, una conversación llena de reticencias y de timideces, de palabras entrecortadas y de sonrisas de inteligencia tristes, muy tristes. Por todo lo que logré entender, vine a quedar en que ambas no se habían casado. En cuanto a Amelia, no me atreví a preguntar nada... Quizá mi pregunta llegaría a aquellos pobres seres, como una amarga ironía, a recordar tal vez una irremediable desgracia y una deshonra... En esto vi llegar saltando a una niñita, cuyo cuerpo y rostro eran iguales en todo a los de mi pobre Amelia. Se dirigió a mí, y con su misma voz exclamó:

—¿Y mis bombones?

Yo no hallé qué decir.

Las dos hermanas se miraban pálidas, pálidas, y movían la cabeza desoladamente...

Mascullando una despedida y haciendo una zurda genuflexión, salí a la calle, como perseguido por algún soplo extraño. Luego lo he sabido todo. La niña que yo creía fruto de un amor culpable es Amelia, la misma que yo dejé hace veintitrés años, la cual se ha quedado en la infancia, ha contenido su carrera vital. Se ha detenido para ella el reloj del Tiempo, en una hora señalada ¡quién sabe con qué designio del desconocido Dios!

El doctor Z era en este momento todo calvo...

Buenos Aires, 1894

Historia de mis libros

Azul...

Esta mañana de Primavera me he puesto a hojear mi amado viejo libro, un libro primigenio, el que iniciara un movimiento mental que había de tener después tantas triunfantes consecuencias; y lo hojeo como quien relee antiguas cartas de amor, con un cariño melancólico, con una «saudade» [1] conmovida en el recuerdo de mi lejana juventud.

Era en Santiago de Chile, adonde yo había llegado, desde la remota Nicaragua, en busca de un ambiente propicio a los estudios y disciplinas intelectuales. A pesar de no haber producido hasta entonces Chile principalmente sino hombres de Estado y de jurisprudencia, gramáticos, historiadores, periodistas y, cuando más, rimadores tradicionales y académicos de directa descendencia peninsular, yo encontré nuevo aire para mis ansiosos vuelos y una juventud llena de deseos de belleza y de nobles entusiasmos.

Cuando publiqué los primeros cuentos y poesías que salían de los cánones usuales, si obtuve el asombro y la censura de los profesores, logré, en cambio, el cordial aplauso de mis compañeros. ¿Cuál fue el origen de la novedad? El origen de la novedad fue mi reciente conocimiento de autores franceses del Parnaso [2], pues a la

---

[1] *saudade:* nostalgia, en gallego-portugués.

[2] *Parnaso:* la escuela parnasiana dio nombre a un grupo de poetas franceses en la segunda mitad del siglo XIX, que se dis-

sazón la lucha simbolista[3] apenas comenzaba en Francia y no era conocida en el extranjero, y menos en nuestra América. Fue Catulle Mendès[4] mi verdadero iniciador, un Mendès traducido, pues mi francés todavía era precario. Algunos de sus cuentos lírico-eróticos, una que otra poesía de las comprendidas en el *Parnasse contemporaine*[5], fueron para mí una una revelación. Luego vendrían otros anteriores y mayores: Gautier[6], el Flaubert de *La tentation de St. Antoine*[7], Paul de Saint-Victor[8], que me aportarían una inédita y deslumbrante concepción del estilo. Acostumbrado al eterno clisé español del Siglo de Oro y a su indecisa poesía moderna, encontré en los franceses que he citado una mina literaria por explotar: la aplicación de su manera de adjetivar, ciertos modos sintácticos, de su aristocracia verbal, al castellano. Lo demás lo daría el carácter de nuestro idioma y la capacidad individual. Y yo, que me sabía de memoria el *Diccionario de galicismos,* de Baralt, comprendí que no sólo el galicismo oportuno, sino ciertas particularidades de otros idiomas, son utilísimas y de una incomparable eficacia en un apropiado trasplante. Así mis conocimientos de inglés, de italiano, de latín, debían servir más tarde al desenvolvimiento de mis propósitos literarios. Mas mi penetración en el mundo del arte verbal francés

---

tanciaron de los románticos porque consideraban que en poesía la forma era suprema.

[3] *la lucha simbolista:* los simbolistas lucharon contra las normas del naturalismo y realismo, tendencias literarias entonces predominantes.

[4] *Catulle Mendès* (1841-1909): poeta francés de la escuela parnasiana, fue uno de sus animadores más significativos.

[5] *Parnasse contemporaine:* título de tres colecciones de poesía publicadas por los poetas parnasianos desde 1866 a 1976.

[6] *Théophile Gautier* (1811-1872): novelista y poeta francés de la escuela romántica, cuyas poesías más importantes se incluyen en *Esmaltes y Camafeos.*

[7] *Flaubert... Antoine:* Gustave Flaubert (1821-1880), novelista francés notable por su estilo extremadamente pulido; su novela más famosa es *Madame Bovary. La tentation...* se publicó en 1874.

[8] *Paul de Saint Victor* (1827-1881): escritor francés romántico, de importancia secundaria.

no había comenzado en tierra chilena. Años atrás, en Centroamérica, en la ciudad de San Salvador, y en compañía del buen poeta Francisco Gavidia[9], mi espíritu adolescente había explorado la inmensa selva de Víctor Hugo y había contemplado su océano divino, en donde todo se contiene.

¿Por qué ese título, *Azul?* No conocía aún la frase huguesca «l'Art c'est l'azur»[10], aunque sí la estrofa musical de *Les châtiments:*

> Adieu, patrie!
> L'onde est en furie!
> Adieu patrie,
> azur!

Mas el azul era para mí el color del ensueño, el color del arte, un color helénico y homérico, color oceánico y firmamental, el «coeruleum», que en Plinio[11] es el color simple que semeja al de los cielos y al zafiro. Y Ovidio había cantado:

> Respice vindicibus pacatum viribus orbem
> qui latam Nereus coerulus ambit humum[12].

Concentré en ese color célico la floración espiritual de mi primavera artística. Ese primer libro —pues apenas puede contar el volumen incompleto de versos que apareció en Managua con el título de *Primeras notas*— se componía de un puñado de cuentos y poesías que podrían calificarse de parnasianas. *Azul* se imprimió en 1888 en Valparaíso, bajo los auspicios del poeta De la Barra y de Eduardo Poirier[13], pues el mecenas a quien fuera de-

---

[9] *Francisco Gavidia* (1864-1955): escritor salvadoreño, a quien Rubén Darío consideraba su maestro.

[10] *«L'Art c'est l'azur»:* «El arte es azul».

[11] *Plinio* (23-79), naturalista y escritor romano.

[12] *Respice... humun:* «mira sobre un mundo pacificado por tu fuerza protectora» (Ovidio).

[13] *de la Barra... Poirier:* Eduardo de la Barra (1839-1900), crítico chileno que escribió el prólogo de la primera edición de *Azul;* Eduardo Poirier, escritor chileno amigo de Darío.

dicado por insinuaciones del primero de estos amigos ni
siquiera me acusó recibo del primer ejemplar que le re-
mitiera.

El libro no tuvo mucho éxito en Chile. Apenas se fi-
jaron en él cuando don Juan Valera se ocupara de su
contenido en una de sus famosas «Cartas americanas»
de *Los Lunes del Imparcial*. Valera vio mucho, expresó
su sorpresa y su entusiasmo sonriente —¿por qué hay
muchos que quieren ver siempre alfileres en aquellas
manos ducales?—; pero no se dio cuenta de la trascendencia de mi tentativa. Porque si el librito tenía algún
personal mérito relativo, de allí debía derivar toda nuestra futura revolución intelectual. A los que asustaba lo
original de la reciente manera les fue extraño que un
impecable como don Juan Valera hiciese notar que la
obra estaba escrita «en muy buen castellano». Otros elo-
gios hiciera «el tesoro de la lengua», como le llama el
conde de las Navas, y el libro fue desde entonces buscado y conocido tanto en España como en América. Valera observa, sobre todo, el completo espíritu francés del
volumen. «Ninguno de los hombres de letras de la Península que he conocido yo con más espíritu cosmopolita,
y que más largo tiempo han residido en Francia, y que
han hablado mejor el francés y otras lenguas extranjeras,
me ha parecido nunca tan compenetrado del espíritu de
Francia como usted me parece: ni Galiano [14], ni don Eugenio de Ochoa [15], ni Miguel de los Santos Álvarez» [16].
Y agregaba más adelante: «Resulta de aquí un autor nicaragüense que jamás salió de Nicaragua sino para ir a

---

[14] *Galiano:* Se refiere a Antonio Alcalá Galiano (1789-1865), político y escritor español. Es famoso su prólogo a *El moro expósito*
del duque de Rivas, considerado como el primer manifiesto del
romanticismo español.
[15] *Eugenio de Ochoa* (1815-1872): escritor y erudito español, fue
amigo de Espronceda y Ventura de la Vega y colaboró en la fundación de la revista *El Artista,* que afianzó el romanticismo en
España.
[16] *Miguel de los Santos Álvarez* (1817-1892): escritor español, colaboró con Zorrilla y en las principales revistas románticas. Su
obra poética muestra afinidades con la de Espronceda.

Chile, y que es autor tan a la moda de París y con tanto "chic" y distinción, que se adelanta a la moda y pudiera modificarla e imponerla.» Cierto; un soplo de París animaba mi esfuerzo de entonces; mas había también, como el mismo Valera lo afirmara, un gran amor por las literaturas clásicas y conocimiento «de todo lo moderno europeo». No era, pues, un plan limitado y exclusivo. Hay, sobre todo, juventud, un ansia de vida, un estremecimiento sensual, un relente pagano, a pesar de mi educación religiosa y profesar desde mi infancia la doctrina católica, apostólica, romana. Ciertas notas heterodoxas las explican ciertas lecturas.

En cuanto al estilo, era la época en que predominaba la afición por la «escritura artística» y el diletantismo elegante. En el cuento «El rey burgués», creo reconocer la influencia de Daudet [17]. El símbolo es claro, y ello se resume en la eterna protesta del artista contra el hombre práctico y seco, del soñador contra la tiranía de la riqueza ignara. En «El sátiro gordo», el procedimiento es más o menos mendesiano, pero se impone el recuerdo de Hugo y de Flaubert. En «La ninfa», los modelos son los cuentos parisienses de Mendès, de Armand Silvestre [18], de Mezeroi, con el aditamento de que el medio, el argumento, los detalles, el tono, son de la vida de París, de la literatura de París. De más advertir que yo no había salido de mi pequeño país natal, como lo escribe Valera, sino para ir a Chile, y que mi asunto y mi composición eran de base libresca. En «El fardo» triunfa la entonces en auge escuela naturalista. Acababa de conocer algunas obras de Zola, y el reflejo fue inmediato; mas no correspondiendo tal modo a mi temperamento ni a mi fantasía, no volví a incurrir en tales desvíos. En «El velo de la reina Mab», sí, mi imaginación encontró asunto apropiado. El deslumbramiento shakespiriano me poseyó y realicé por primera vez el poema en prosa. Más que en

---

[17] *Alphonse Daudet* (1840-1897): novelista francés, autor de *Tartarín de Tarascón*.

[18] *Armand Silvestre:* escritor francés muy conocido en su época.

ninguna de mis tentativas, en ésta perseguí el ritmo y la sonoridad verbales, la transposición musical, hasta entonces —es un hecho reconocido— desconocida en la prosa castellana, pues las cadencias de algunos clásicos son, en sus desenvueltos periodos, otra cosa. «La canción del oro» es también poema en prosa, pero de otro género. Valera la califica de letanía. Y aquí una anécdota. Yo envié a París, a varios hombres de letras, ejemplares de mi libro, a raíz de su aparición. Tiempos después, en *La Panthée,* de Peladán [19], aparecía un «Cantique de l'or» más que semejante al mío. Coincidencia posiblemente. No quise tocar el asunto, porque entre el gran esteta y yo no había esclarecimiento posible, y a la postre habría resultado, a pesar de la cronología, el autor de «La canción del oro» plagiario de Peladán.

«El rubí» es otro cuento a la manera parisiense. Un «mito», dice Valera. Una fantasía primaveral, más bien; lo propio que «El palacio del sol», donde llamara la atención el empleo del «leitmotiv». Y otra narración de París, más ligera, a pesar de su significación vital, «El pájaro azul». En «Palomas blancas y garzas morenas» el tema es autobiográfico, y el escenario la tierra centroamericana en que me tocó nacer. Todo en él es verdadero, aunque dorado de ilusión juvenil. Es un eco fiel de mi adolescencia amorosa, del despertar de mis sentidos y de mi espíritu ante el enigma de la universal palpitación. La parte titulada «En Chile», que contiene «En busca de cuadros», «Acuarela», «Paisaje», «Agua fuerte», «La Virgen de la Paloma», «La cabeza», otra «Acuarela», «Un retrato de Watteau», «Naturaleza muerta», «Al carbón», «Paisajes» y «El ideal», constituyen ensayos de color y de dibujo que no tenían antecedentes en nuestra prosa. Tales transposiciones pictóricas debían ser seguidas por el grande y admirable colombiano J. Asunción

---

[19] *Joseph Peladán* (1859-1918): escritor francés muy influido por las corrientes ocultistas. Es representante del decadentismo antipositivista.

Silva[20] —y esto, cronológicamente, resuelve la duda expresada por algunos de haber sido la producción del autor del «Nocturno» anterior a nuestra reforma—. «La muerte de la emperatriz de la China»— publicado recientemente en francés en la colección *Les mille nouvelles nouvelles*— es un cuento ingenuo, de escasa intriga, con algún eco a lo Daudet. «A una estrella», canto pasional, romanza.

Luego viene la parte de verso del pequeño volumen. En los versos seguía el mismo método que en la prosa: la aplicación de ciertas ventajas verbales de otras lenguas, en este caso principalmente del francés, al castellano. Abandono de las ordenaciones usuales, de los clisés consuetudinarios; atención a la melodía interior, que contribuye al éxito de la expresión rítmica; novedad en los adjetivos; estudio y fijeza del significado etimológico de cada vocablo; aplicación de la erudición oportuna, aristocracia léxica. En «Primaveral» —de «El año lírico»— creo haber dado una nueva nota en la orquestación del romance, con todo y contar con antecesores tan ilustres al respecto como Góngora y el cubano Zenea[21]. En «Estival» quise realizar un trozo de fuerza. Algún escaso lector de tierras calientes ha querido dar a entender que —¡tratándose de tigres!— mi trabajo podía ser, si no hurto, traducción de Leconte de Lisle[22].

Cualquiera puede desechar la inepta insinuación con recorrer toda la obra del poeta de *Poèmes barbares.* Ello me hizo sonreír, como el venerable *Atheneum,* de Londres, que porque hablo de toros salvajes en uno de mis versos, me compara con Mistral[23]. En «Autumnal» vuelve el influjo de la música, una música íntima, «di camera», y que contiene las gratas aspiraciones amorosas de

[20] *José Asunción Silva* (1865-1896): colombiano, uno de los poetas más importantes del primer modernismo.
[21] *Juan Clemente Zenea* (1832-1871): poeta cubano, que participó en la independencia de su país. Autor de *Diario de un mártir.*
[22] *Charles Marie Leconte de Lisle* (1818-1899): poeta francés de tendencia parnasiana.
[23] *Frédéric Mistral* (1830-1914): poeta francés de lengua provenzal.

los mejores años, la nostalgia de lo aún no encontrado
—y que, casi siempre, no se encuentra nunca tal como
se sueña—. Hay en seguida, aconsonantando con lo anterior, la versión de un «Pensamiento de otoño», de
Armand Silvestre. Bien sabido es que, a pesar de sus
particularidades harto rabelesianas y de su excesiva «ga-
loiserie», Silvestre era un poeta en ocasiones delicado,
fino y sentimental.

«Ananké» es una poesía aislada y que no se compadece con mi fondo cristiano. Valera la censura con razón, y ella no tuvo posiblemente más razón de ser que
un momento de desengaño, y el acíbar de lecturas poco
propias para levantar el espíritu a la luz de las supre-
mas razones. El más intenso teólogo puede deshacer en
un instante la reflexión del poeta en ese instante pesi-
mista, y demostrar que tanto el gavilán como la paloma
forman parte integrante y justa de la concorde unidad
del universo; y que, para la mente infinita, no existen,
como para la limitada mente humana, ni Arimanes, ni
Ormutz [24]. Concluye el librito con una serie de sonetos:
«Caupolicán», que inició la entrada del soneto alejandrino
a la francesa en nuestra lengua —al menos según mi conocimiento—. Aplicación a igual poema de forma fija, de
versos de quince sílabas, se advierte en «Venus». Otro
soneto a la francesa y de asunto parisiense: «De invierno.» Luego retratos líricos, medallones de poetas que
eran algunas de mis admiraciones de entonces: Leconte
de Lisle, el mejicano Díaz Mirón [25], a quien imitara en
ciertos versos agregados en ediciones posteriores de
Azul..., y que empiezan:

> Nada más triste que un titán que llora,
> hombre montaña encadenado a un lirio,
> que gime fuerte, que, pujante, implora,
> víctima propia en su fatal martirio.

---

[24] *Ni Arimanes, ni Ormutz,* hace referencia a la concepción
maniqueísta que reduce el universo a dos sustancias o principios,
el bien y el mal o la luz y las tinieblas, eternos e irreductibles.
[25] *Salvador Díaz Mirón* (1853-1928): poeta mejicano. Fue una
de las más destacadas figuras del modernismo en su país.

Tal fue mi primer libro, origen de las bregas posteriores, y que, en una mañana de primavera, me ha venido a despertar los más gratos y perfumados recuerdos de mi vida pasada, allá en el bello país de Chile. Si mi *Azul...* es una producción de arte puro[26], sin que tenga nada de docente ni de propósito moralizador, no es tampoco lucubrado[27] de manera que cause la menor delectación morbosa. Con todos sus defectos, es de mis preferidas. Es una obra, repito, que contiene la flor de mi juventud, que exterioriza la íntima poesía de las primeras ilusiones y que está impregnada de amor al arte y de amor al amor.

---

[26] *arte puro:* arte por amor al arte, doctrina muy en boga en aquel tiempo, que se plasmó en el modernismo, tendencia artística caracterizada por su afán estético.

[27] *lucubrado:* trabajado.

Prosas profanas

Sería inútil tarea intentar un análisis exegético de mi libro *Prosas profanas,* después del estudio tan completo del gran José Enrique Rodó[28] en su magistral y célebre opúsculo, reproducido a manera de prólogo en la edición parisiense de la Viuda de C. Bouret, y en la cual no apareció la firma del ilustre uruguayo por un descuido de los editores. Mas sí podré expresar mi sentimiento personal, tratar de mis procedimientos y de la génesis de los poemas en esta obra contenidos. Ellos corresponden al periodo de ardua lucha intelectual que hube de sostener, en unión de mis compañeros y seguidores, en Buenos Aires, en defensa de las ideas nuevas, de la libertad del arte, de la acracia, o, si se piensa bien, de la aristocracia literaria. En unas palabras de introducción concentraba yo el alcance de mis propósitos.

Ya había aparecido *Azul...* en Chile; ya había aparecido *Los raros* en la capital argentina. Estaba de moda entonces la publicación de manifiestos, en la brega simbolista de Francia, y muchos jóvenes amigos me pedían hiciese en Buenos Aires lo que, en París, Moréas[29] y tantos otros. Opiné que no estábamos en idéntico me-

<hr />

[28] *José Enrique Rodó* (1871-1917): escritor uruguayo cercano al modernismo, cuyos ensayos influyeron mucho en el mundo hispánico. Su obra más conocida es *Ariel.*

[29] *Juan Moréas* (1856-1910): poeta francés de ascendencia griega, adscrito a la escuela parnasiana.

dio, y que tal manifiesto no sería ni fructuoso ni oportuno. La atmósfera y la cultura de la secular Lutecia [30] no era la misma de nuestro Estado continental. Si en Francia abundaba el tipo de Rémy de Gourmont, «celuiqui ne comprend-pas», ¿cómo no sería entre nosotros? Él pululaba en nuestra clase dirigente, en nuestra general burguesía, en las letras, en la vida social. No contaba, pues, sino con una «élite», y sobre todo con el entusiasmo de la juventud, deseosa de una reforma, de un cambio de su manera de concebir y de cultivar la belleza.

Aun entre algunos que se habían apartado de las antiguas maneras, no se comprendía el valor del estudio y de la aplicación constante, y se creía que con el solo esfuerzo del talento podría llevarse a cabo la labor emprendida. Se proclamaba una estética individual, la expresión del concepto; mas también era preciso la base del conocimiento del arte a que uno se consagraba, una indispensable erudición y el necesario don del buen gusto. Me adelanté a prevenir el prejuicio de toda imitación, y, apartando sobre todo a los jóvenes catecúmenos de seguir mis huellas, recordé un sabio consejo de Wágner a una ferviente discípula suya, que fue al mismo tiempo una de las amadas de Catulle Mendès.

Asqueado y espantado de la vida social y política en que mantuviera a mi país original un lamentable estado de civilización embrionario, no mejor en tierras vecinas, fue para mí un magnífico refugio la República Argentina, en cuya capital, aunque llena de tráfagos comerciales, había una tradición intelectual y un medio más favorable al desenvolvimiento de mis facultades estéticas. Y si la carencia de una fortuna básica me obligaba a trabajar periodísticamente, podía dedicar mis vagares al ejercicio del puro arte y de la creación mental. Mas abominando la democracia funesta a los poetas, así sean sus adoradores como Walt Whitman, tendí hacia el pasado, a las antiguas mitologías y a las espléndidas historias, in-

---

[30] *Lutecia:* nombre antiguo de París.

curriendo en la censura de los miopes. Pues no se tenía en toda la América española como fin y objeto poéticos más que la celebración de las glorias criollas, los hechos de la Independencia y la naturaleza americana: un eterno canto a Junín [31], una inacabable oda a la agricultura de la zona tórrida [32] y décimas patrióticas. No negaba yo que hubiese un gran tesoro de poesía en nuestra épica prehistórica, en la conquista y aun en la colonia; mas con nuestro estado social y político posterior llegó la chatura intelectual y periodos históricos más a propósito para el folletín sangriento que para el noble canto. Y agregaba, sin embargo: «Buenos Aires: cosmópolis. ¡Y mañana!» La comprobación de este augurio quedó afirmada con mi reciente «Canto a la Argentina».

En cuanto a la cuestión ideológica y verbal, proclamé ante glorias españolas más sonoras, la del gran don Francisco de Quevedo, de Santa Teresa, de Gracián, opinión que más tarde aprobarían y sostendrían en la Península egregios ingenios. Una frase hay que exigiría comento: «Abuelo, preciso es decíroslo: mi esposa es de mi tierra; mi querida es de París.» En el fondo de mi espíritu, a pesar de mis vistas cosmopolitas, existe el inarrancable filón de la raza; mi pensar y mi sentir continúan un proceso histórico y tradicional; mas de la capital del arte y de la gracia, de la elegancia, de la claridad y del buen gusto, habría de tomar lo que atribuyese a embellecer y decorar mis eclosiones autóctonas. Tal di a entender. Con el agregado de que no sólo de las rosas de París extraería esencias, sino de todos los jardines del mundo. Luego expuse el principio de la música interior: «Como cada palabra tiene un alma, hay, en cada verso,

---

[31] *Junín:* referencia a un poema del escritor ecuatoriano José Joaquín de Olmedo (1780-1847), llamado «La victoria de Junín», escrito para conmemorar la batalla de este nombre ganada por Simón Bolívar en 1824, y en la que conquistó la Independencia de las antiguas colonias españolas.

[32] *oda... tórrida:* poema del escritor venezolano Andrés Bello (1781-1865), que constituye una glorificación del campo y del paisaje tropical americano, así como de las virtudes representativas de una mentalidad de filiación ilustrada.

además de la armonía verbal, una melodía ideal. La música es sólo de la idea, muchas veces.» Luego profesé el desdén de la crítica de gallina ciega, de la gritería de las ocas, y aticé el fuego del estímulo para el trabajo, para la creación. «Bufe el eunuco: cuando una musa te dé un hijo, queden las otras ocho encinta.» Frase que he leído citada en una producción reciente de un joven español, ¡como de Théophile Gautier!...

En «Era un aire suave...», que es un aire, suave, sigo el precepto del Arte Poética de Verlaine: «De la musique avant toute chose»[33]. El paisaje, los personajes, el tono; se presentan en ambiente siglo dieciochesco. Escribí como escuchando los violines del rey. Poseyeron mi sensibilidad Rameau[34] y Lully[35]. Pero el abate joven de los madrigales y el vizconde rubio de los desafíos, ante Eulalia que ríe, mantienen la secular felinidad femenina contra el viril rendido; Eva, Judith u Ofelia, peores que todas las «sufragettes». En «Divagación» diríase un curso de geografía erótica; la invitación al amor bajo todos los soles, la pasión de todos los colores y de todos los tiempos. Allí flexibilicé hasta donde pude el endecasílabo. La «Sonatina» es la más rítmica y musical de todas estas composiciones, y la que más boga ha logrado en España y América. Es que contiene el sueño cordial de toda adolescente, de toda mujer que aguarda el instante amoroso. Es el deseo íntimo, la melancolía ansiosa, y es, por fin, la esperanza. En «Blasón» celebro el cisne, pues esos versos fueron escritos en el álbum de una marquesa de Francia propicia a los poetas. En «Del campo» me amparaba la sombra de Banville[36], en un tema y en una at-

---

[33] «De... chose»: la música ante todo.
[34] Jean Philippe Rameau (1683-1764): compositor y organista francés.
[35] Jean Baptiste Lully (1632-1687): compositor italiano en Francia.
[36] Théodore Banville (1823-1891): poeta y dramaturgo francés. Su obra poética se adscribe a las tendencias esteticistas del arte por el arte y el parnasianismo, sin desvincularse por ello del romanticismo. Su colección lírica más significativa es Les Odes Funambulesques, que Darío imitó.

mósfera criollos. En la alabanza «A los ojos negros de
Julia» madrigalicé caprichosamente. La «Canción de Carnaval» es también a lo Banville, una oda funambulesca,
de sabor argentino, bonaerense. Dos galanterías siguen
para una dama cubana. Fueron escritas en presencia de
mi malogrado amigo Julián del Casal [37], en la Habana,
hace más de veinte años, e inspiradas por una bella dama, María Cap, hoy viuda del general Lachambre.

«Bouquet» es otro madrigal de capricho. «El faisán»,
en tercetos monorrimos, es un producto parisiense, idea-
do en París, escrito en París, trascendente de parisina.

«Garçonnière» dice horas artísticas y fraternas de Buenos Aires. «El país del sol», formulado a la manera de
los «Lieds de France», de Catulle Mendès, y como un
eco de Gaspard de la Nuit [38] concreta la nostalgia de una
niña de las islas del trópico, animada de arte, en el medio frígido y duro de Manhattan, en la imperial Nueva
York. «Margarita» —que ha tenido la explicable suerte
de estar en tantas memorias— es un melancólico recuerdo pasional, vivido, aunque en la verdadera historia la
amada sensual no fue alejada por la muerte, sino por la
separación. «Mía» y «Dice mía» son juegos para música, propios para el canto, «lieds» [39] que necesitan modu-
lación.

En «Heraldos» demuestro la teoría de la melodía interior. Puede decirse que en este poemita el verso no existe, bien que se imponga la notación ideal. El juego de
las sílabas, el sonido y color de las vocales, el nombre
clamado heráldicamente, evocan la figura oriental, bíblica,
legendaria, y el tributo y la correspondencia.

El «Coloquio de los centauros» es otro «mito», que
exalta las fuerzas naturales, el misterio de la vida uni-

---

[37] *Julián del Casal* (1863-1893): poeta cubano, máximo inspira-
dor del modernismo en su país, fue muy admirado por Rubén
Darío que le dedicó *El clavicordio de la abuela*.
[38] *Gaspard de la Nuit:* poemas en prosa del escritor francés
Aloysious Bertrand (1807-1841) que evocan una atmósfera medieval con imágenes innovadoras de tema fantástico.
[39] *«lieds»*: canciones líricas alemanas.

versal, la ascensión perpetua de Psique, y luego plantea el arcano [40] fatal y pavoroso de nuestra ineludible finalidad. Mas renovando un concepto pagano, Thanatos [41] no se presenta como en la visión católica, armado de su guadaña, larva o esqueleto, de la medieval reina de la peste y emperatriz de la guerra; antes bien, surge bella, casi atrayente, sin rostro angustioso, sonriente, pura, casta, y con el Amor dormido a sus pies. Y bajo un principio pánico, exalto la unidad del Universo en la ilusoria Isla de Oro, ante la vasta mar. Pues, como dice el divino visionario Juan: «Hay tres cosas que dan testimonio en la tierra: el espíritu, el agua y la sangre, y estos tres no son más que uno» (Ep. B. Joannis. Apost., V, 8: «Et tres sunt qui testimonium dant in terra: spiritus, et aqua, et sanguis: et hi tres unum sunt.»)

En «El poeta pregunta por Stella», el poeta rememora a un angélico ser desaparecido, a una hermana de las liliales mujeres de Poe que ha ascendido al cielo cristiano. Luego leeréis un prólogo lírico, que se me antojó llamar «pórtico», escrito hace largos años en alabanza del muy buen poeta, del vibrante, sonoro y copioso Salvador Rueda [42], gloria y decoro de las Andalucías. Y como en ese tiempo visitase yo la que es llamada harto popularmente tierra de María Santísima, no dejé de pagar tributo, contagiado de la alegría de las castañuelas, panderos y guitarras, a aquella encantada región solar. Y escribí, entre otras cosas, el «Elogio de la seguidilla».

En Buenos Aires, e iniciado en los secretos wagnerianos por un músico y escritor belga, M. Charles de Gouffré, rimé el soneto de «El cisne» —¡ave eterna!— que concluye:

---

[40] *arcano:* secreto.
[41] *Thanathos:* la muerte personificada en los mitos griegos.
[42] *Salvador Rueda* (1857-1933): poeta español modernista, contemporáneo de Darío, que puso prólogo a su libro *En tropel* (1892).

213

¡Oh, Cisne! ¡Oh, sacro pájaro! Si antes la blanca Helana
del huevo azul de Leda brotó de gracia llena,
siendo de la hermosura la princesa inmortal,
bajo tus blancas alas la nueva Poesía
concibe en una gloria de luz y de armonía
la Helena eterna y pura que encarna el ideal.

«La página blanca» es como un sueño cuyas visiones
simbolizaran las bregas, las angustias, las penalidades del
existir, la fatalidad genial, las esperanzas y los desenga-
ños, y el irremisible epílogo de la sombra eterna, del
desconocido más allá.

¡Ay! Nada ha amargado más las horas de meditación
de mi vida que la certeza tenebrosa del fin. ¡Y cuántas
veces me he refugiado en algún paraíso artificial, poseído del horror fatídico de la muerte!

«Año nuevo» es una decoración sideral, animada —se
diría— de un teológico aliento.

La «Sinfonía en gris mayor» trae necesariamente el recuerdo del mágico Théo, del exquisito Gautier, y su
«Symphonie en blanc majeur». La mía es anotada
«d'après nature», bajo el sol de mi patria tropical. Yo he
visto esas aguas en estagnación, las costas como canden-
tes, los viejos lobos de mar que iban a cargar en goletas
y bergantines maderas de tinte y que partían, a velas
desplegadas, con rumbo a Europa. Bebedores taciturnos o
risueños cantaban en los crepúsculos, a la popa de sus
barcos, acompañándose con sus acordeones, cantos de
Normandía o de Bretaña, mientras exhalaban los bosques
y los esteros cercanos, rodeados de manglares, bocanadas
cálidas y relentes palúdicos.

En «Epitalamio bárbaro» se testifica en la lira el triunfo amoroso de un grande apolonida [43]. El «Responso» a
Verlaine prueba mi admiración y fervor cordial por el
«pauvre Lelian [44], a quien conocí en París en días de su
triste y entristecedora bohemia, y hago ver las dos faces
de su alma pánica: la que da a la carne y la que da al

---

[43] *apolonida:* seguidor de Apolo. El poeta se refiere a Sagitario, centauro que robó una estrella.

[44] *«pauvre Lelian»*: seudónimo de Verlaine.

espíritu; la que da a las leyes de la humana naturaleza y la que da a Dios y a los misterios católicos, paralelamente. En el «Canto de la sangre» hay una sucesión de correspondencias y equivalencias simbólicas bajo el enigma del licor sagrado que mantiene la vitalidad en nuestro cuerpo mortal.

La siguiente parte del volumen, «Recreaciones arqueológicas», indica por su título el contenido. Son ecos y manera de épocas pasadas, y una demostración, para los desconcertados y engañados contrarios, de que para realizar la obra de reforma y de modernidad que emprendiera he necesitado anteriores estudios de clásicos y primitivos. Así, en «Friso» recurro al elegante verso libre, cuya última realización plausible en España es la célebre «Epístola a Horacio», de don Marcelino Menéndez y Pelayo. Hay más arquitectura y escultura que música; más cincel que cuerda o flauta. Lo propio en «Palimpsesto», en donde el ritmo se acerca a la repercusión de los números latinos. En «El reino interior» se siente la influencia de la poesía inglesa, de Dante Gabriel Rosetti [45] y de algunos de los corifeos [46] del simbolismo francés. (¡Por Dios! ¡Si he querido en un verso hasta aludir al «Glosario», de Powell!...) [47]. «Cosas del Cid» encierra una leyenda que narra en prosa Barbey d'Aurevilly [48] y que, en verso, he continuado.

«Dezires, layes y canciones» renuevan antiguas formas poémicas y estróficas, y así expreso amores nuevos con versos compuestos y arreglados a la manera de Johan de Duenyas, de Johan de Torres, de Valtierra, de Santa

[45] *Dante Gabriel Rossetti* (1828-1882), pintor y poeta inglés. Fue uno de los fundadores de la hermandad prerrafaelista.
[46] *corifeo:* el que guiaba el coro en las tragedias antiguas griegas y romanas y, figuradamente, el que es seguido por otros en una opinión, secta o partido.
[47] *«Glosario» de Powell:* posiblemente una obra de Thomas Powell (1809-1887), mediocre escritor inglés que colaboró con Wordsworth.
[48] *Barbey d'Aurevilly* (1808-1889): poeta y novelista francés.

Fe [49], con inusitados y sugerentes escogimientos verbales y rítmicas combinaciones que dan un gracioso y eufónico resultado, y con el aditamento de finidas y tornadas [50].

Y para concluir: en la serie de sonetos que tiene por título «Las ánforas de Epicuro» —con una «Marina» intercalada—, hay una como exposición de ideas filosóficas; en «La espiga», la concentración de un ideal religioso a través de la Naturaleza; en «La fuente», el autoconocimiento y la exaltación de la personalidad; en «Palabras de la Satiresa», la conjunción de las exaltaciones pánica y apolínea —que ya Moréas, según lo hace saber un censor más que listo, había preconizado, ¡y tanto mejor!—; en «La anciana», una alegórica afirmación de supervivencia; en «Ama tu ritmo...», otra vez la exposición de la potencia íntima individual; en «A los poetas risueños», un gozo amable, un ímpetu que lleva a la claridad alegre y reconfortante, con el exultorio de los cantores de la dicha; en «La hoja de oro», el arcano de tristezas autumnales; en «Marina», una amarga y verdadera página de mi vivir; en «Syrinx» (pues el soneto que aparece en otras ediciones con el título «Dafne», por equivocación, debe llevar el de «Syrinx»), paganizo al cantar la concreción espiritual de la metamorfosis. «La gitanilla» es una rimada anécdota. Loo después a un antiguo y sabroso citareda [51] de España; lanzo una voz de aliento y de ánimo; indico mis sueños.

Y tal ese ese libro, que amo intensamente y con delicadeza, no tanto como obra propia, sino porque a su aparición se animó en nuestro continente toda una cordillera de poesía poblada de magníficos y jóvenes espíritus. Y nuestra alba se reflejó en el viejo solar.

---

[49] *Johan... Santa Fe:* poetas españoles de importancia secundaria.

[50] *finidas y tornadas:* estrofas finales de un poema, a menudo en forma de envío, o estribillo.

[51] *citareda:* poeta; literalmente tocador de cítara. Se refiere a un poema dedicado al poeta medieval Gonzalo de Berceo.

Cantos de vida y esperanza

Si *Azul...* simboliza el comienzo de mi primavera, y *Prosas profanas* mi primavera plena, *Cantos de vida y esperanza* encierra las esencias y savias de mi otoño.

He leído, no recuerdo ya de quién, el elogio del otoño; mas ¿quién mejor que Hugo lo ha hecho con el encanto profundo de su selva lírica? La autumnal [52] es la estación reflexiva. La Naturaleza comunica su filosofía sin palabras, con sus hojas pálidas, sus cielos taciturnos, sus opacidades melancólicas. El ensueño se impregna de reflexión. El recuerdo ilumina con su interior luz apacible los más amables secretos de nuestra memoria. Respiramos, como a través de un aire mágico, el perfume de las antiguas rosas. La ilusión existe, mas su sonrisa es discreta. Adquiere el amor mismo cierta dulce gravedad. Esto no lo comprendieron muchos, que al aparecer *Cantos de vida y esperanza* echaron de menos el tono matinal de *Azul...* y la princesa que estaba triste en *Prosas profanas*, y los caprichos siglo XVIII, mis queridas y gentiles versallerías [53], los madrigales galantes y preciosos y todo lo que en su tiempo sirvió para renovar el gusto y la forma y el vocabulario en nuestra poesía, encajonada en lo pedagógico-clásico, anquilosada de Siglo de Oro

---

[52] *autumnal:* del latín *autumnalis,* otoñal.
[53] *versallerías:* poemas cuya graciosa atmósfera hace recordar la de Versalles.

o apegada, cuando más, a las fórmulas prosaico-filosóficas o baritonantes y campanudas de maestros, aunque ilustres, limitados. Apenas Bécquer había traído su melodía a la germánica, aunque el gran Zorrilla imperase, Cid del Parnaso castellano, con su virtuosidad genial y castiza.

Al escribir *Cantos de vida y esperanza,* yo había explorado no solamente el campo de poéticas extranjeras, sino también los cancioneros antiguos, la obra ya completa, ya fragmentaria, de los primitivos de la poesía española, en los cuales encontré riqueza de expresión y de gracia que en vano se buscarán en harto celebrados autores de siglos más cercanos. A todo esto agregad un espíritu de modernidad con el cual me compenetraba en mis incursiones poliglóticas y cosmopolitas. En unas palabras liminares y en la introducción, en endecasílabos, se explica la índole del nuevo libro. La historia de una juventud llena de tristezas y de desilusión, a pesar de las primaverales sonrisas; la lucha por la existencia desde el comienzo, sin apoyo familiar ni ayuda de mano amiga; la sagrada y terrible fiebre de la lira; el culto del entusiasmo y de la sinceridad contra las añagazas y traiciones del mundo, del demonio y de la carne; el poder dominante e invencible de los sentidos en una idiosincrasia calentada a sol de trópico en sangre mezclada de español y chorotega o nagrandano; la simiente del catolicismo, contrapuesta a un tempestuoso instinto pagano, complicado con la necesidad psicofisiológica de estimulantes modificadores del pensamiento, peligrosos combustibles, supremidores de perspectivas afligentes, pero que ponen en riesgo la máquina cerebral y la vibrante túnica de los nervios. Mi optimismo se sobrepuso. Español de América y americano de España, canté, eligiendo como instrumento al hexámetro griego y latino, mi confianza y mi fe en el renacimiento de la vieja Hispania en el propio solar y del otro lado del Océano, en el coro de naciones que hacen contrapeso en la balanza sentimental a la fuerte y osada raza del Norte. Elegí el hexámetro por ser de tradición grecolatina y porque yo creo, después de haber

218

estudiado el asunto, que en nuestro idioma, «malgré» [54] la opinión de tantos catedráticos, hay sílabas largas y breves, y que lo que ha faltado es un análisis más hondo y musical de nuestra prosodia. Un buen lector puede advertir en seguida los correspondientes valores, y lo que han hecho Voss y otros en alemán, Longfellow [55] y tantos en inglés, Carducci, d'Annunzio [56] y otros en Italia, Villegas, el P. Martín y Eusebio Caro [57], el colombiano, y todos los que cita Eugenio Mele en su trabajo sobre la *Poesía bárbara en España,* bien podíamos continuarlo otros, aristocratizando así nuevos pensares. Y bella y prácticamente lo ha demostrado después un poeta del valer de Marquina.

Flexibilizado nuestro alejandrino con la aplicación de los aportes que al francés trajeran Hugo, Banville, y luego Verlaine y los simbolistas, su cultivo se propagó, quizá en demasía, en España y América. Hay que advertir que los portugueses tenían ya tales reformas.

Hay, como he dicho, mucho hispanismo en este libro mío. Ya haga su salutación el optimista, ya me dirija al rey Oscar de Suecia, o celebre la aparición de Cyrano [58] en España, o me dirija al presidente Roosevelt, o celebre al Cisne, o evoque anónimas figuras de pasadas centurias, o haga hablar a don Diego de Silva Velázquez y a don Luis de Argote y Góngora, o loe a Cervantes, o a Goya,

[54] *«malgré»*: a pesar de.

[55] *Longfellow, Carducci:* véase nota al Prefacio de *Cantos de vida y esperanza.*

[56] *Gabriele D'Annunzio* (1863-1938): escritor italiano; en su obra lírica son características principales el virtuosismo técnico y la gran musicalidad.

[57] *Eusebio Caro* (1817-1853): político y poeta colombiano. Sus poesías constituyen el exponente más característico del romanticismo colombiano. Son notables sus experimentos métricos, sobre todo la recreación del hexámetro clásico que ejerció alguna influencia sobre los poetas modernistas.

[58] *Cyrano de Bergerac:* tragicomedia de Edmundo Rostand, que se estrenó en Madrid el 1 de enero de 1899, el mismo día que Darío llegó a España. El poeta publicó el 28 del mismo mes y después de ver la obra la composición dedicada a Cyrano en dísticos alejandrinos.

o escriba la «Letanía de Nuestro Señor Don Quijote», ¡Hispania por siempre! Yo había vivido ya algún tiempo y habían revivido en mí alientos ancestrales...

El título —*Cantos de vida y esperanza*—, si corresponde en gran parte a lo contenido en el volumen, no se compadece con algunas notas de desaliento, de duda o de temor a lo desconocido, al más allá.

En «Los tres reyes magos», se afianza mi deísmo absoluto. En la «Salutación a Leonardo» —escrita en versos libres franceses y publicada hacía tiempo en el *Almanaque de Peuser,* de Buenos Aires—, hay juegos y enigmas de arte que exigen para su comprensión, naturalmente, ciertas iniciaciones. En «Pegaso» se proclama el valor de la energía espiritual, de la voluntad de creación. En «A Roosevelt» se preconizaba la solidaridad del alma hispanoamericana ante las posibles tentativas imperialistas de los hombres del Norte; en la poesía siguiente se considera la poesía como un especial don divino, y se señala el faro de la esperanza ante las amenazas de la baja democracia y de la aterradora igualdad. En «Canto de esperanza» vuelvo mis ojos al inmenso resplandor de la figura de Cristo, y grito por su retorno como salvación ante los desastres de la tierra envenenada por las pasiones de los hombres; y más adelante, de nuevo hago vislumbrar a los meditabundos pensadores, a los poetas que sufren la transfiguración y la final victoria. «Helios» proclama el idealismo, y siempre la omnipotencia infinita; «Spes» asciende a Jesús, a quien se pide «contra el sañudo infierno una gracia lustral de iras y lujurias»; la «Marcha triunfal» es un «triunfo» de decoración y de música. Hay una parte titulada «Los cisnes». El amor a esta bella ave, simbólica desde antiguo:

> ignem perosus,
> quae colat, elegit contraria flumina flammis... [59]

---

[59] *«ignem... flammis»*: «y detestando el fuego, él (Cygnus, que fue convertido en cisne) escogió vivir en las aguas, que son la antítesis de las llamas». Ovidio, *Metamorfosis,* II, 379-80).

ha hecho que tanto a mí como al español Marquina nos haya censurado un crítico hispanoamericano, anteponiendo al ave blanca de Leda el ave sombría, aunque minervina: el búho. De cierto, juzgo en su metamorfosis más satisfecho al hijo de Sthenelea que a Ascálafo [60]. Y con todo, en varias partes afirmo la sabiduría del búho. Por el símbolo císnico torno a ver lucir la esperanza para la raza solar nuestra; elogio al pensador, augurando el triunfo de la Cruz; me estremezco ante el eterno amor. En «Retratos», presento en lienzos evocatorios pasadas figuras de la grandeza y del carácter hispánicos; cuatro caballeros y una abadesa. Luego ritmo el influjo primaveral en un romance cuyo compás corto de pronto. En «La dulzura del Ángelus» hay como un místico ensueño, y presento como verdadero refugio la creencia en la Divinidad y la purificación del alma, y hasta de la naturaleza, por la íntima gracia de la plegaria.

«Tarde del trópico» fue escrita hace mucho tiempo, cuando por la primera vez sentí bajo mis pies las vastas aguas oceánicas en mi viaje a Chile. Era para mí entonces todo en la poesía el semidiós Hugo. Los «Nocturnos», en cambio, dicen una cultura posterior; ya han ungido mi espíritu los grandes «humanos», y así exteriorizo en versos transparentes, sencillos y musicales, de música interior, los secretos de mi combatida existencia, los golpes de la fatalidad, las inevitables disposiciones del destino. Quizá hay demasiada desesperanza en algunas partes; no debe culparse sino a los marcados instantes en que una mano de tiniebla hace vibrar mayormente el cordaje martirizador de nuestros nervios. Y las verdades de mi vida: «un vasto dolor y cuidados pequeños», «el viaje a un vago Oriente por entrevistos barcos», «el grano de oraciones que floreció en blasfemias», «los azoramientos del cisne entre los charcos», «el falso azul nocturno de inquerida bohemia...» Sí; más de una vez pensé en que

---

[60] *De cierto... Ascálafo:* verdaderamente yo pienso que el hijo de Sthenele (Cygnus) estuvo más satisfecho con su metamórfosis que Ascálafo con la suya (Ascálafo fue convertido en lechuza por traicionar a Perséfona).

pude ser feliz, si no se hubiera opuesto «el rudo destino».
La oración me ha salvado siempre la fe; pero hame atacado también la fuerza maligna, poniendo en mi entendi-
miento horas de duda y de ira. Mas ¿no han padecido
mayores agresiones los más grandes santos? He cruzado
por lodazales. Puedo decir, como el vigoroso mejicano [61]:
«Hay plumajes que cruzan el pantano y no se manchan,
mi plumaje es de ésos.»

En cuanto a la bohemia inquerida, ¿habría yo gastado
tantas horas de mi vida en agitadas noches blancas, en
la euforia artificial y desorbitada de los alcoholes, en el
desgaste de una juventud demasiado robusta, si la fortuna me hubiera sonreído y si el capricho y el triste error
ajenos no me hubiesen impedido, después de una crueldad de la muerte, la formación de un hogar?...

> Esperanza olorosa a yerbas frescas, trino
> del ruiseñor primaveral y matinal,
> azucena tronchada por un fatal destino,
> rebusca de la dicha, persecución del mal...

Y gracias sean dadas a la suprema razón si puedo clamar, con el verso de la obertura de este libro: «¡Si no
caí, fue porque Dios es bueno!» En la «Canción de otoño en primavera» digo adiós a los años floridos, en una
melancólica sonata que, si se insiste en parangonar, tendría su melodía algo como un sentimental eco mussetiano [62]. Es, de todas mis poesías, la que más suaves y fraternos corazones ha conquistado.

En «Trébol» hay homenaje a glorias españolas; en
«Charitas», una aspiración teologal incensa la más sublime de las virtudes. En los siguientes versos: «¡Oh, te-
rremoto mental!», pasa la amenaza de las potencias ma-
léficas, y más adelante se señala el peligro de la eterna
enemiga, de la hermosa Varona que nos ofrece siempre
la manzana... En «Filosofía» se comprende la justeza de

---

[61] *el vigoroso mejicano:* se refiere a Salvador Díaz Mirón (1853-
1928), poeta modernista mejicano.

[62] *mussetiano:* de Alfredo de Musset (1810-1857), poeta romántico francés.

la obra natural y de la divina razón contra las feas y dañinas apariencias; en «Leda» se vuelve a cantar la gloria del Cisne; en «Divina Psiquis...» se tiende, en el torbellino lírico, al último consuelo, al consuelo cristiano. El «Soneto de trece versos», cuyo sentido incomprendido ha hecho balbucir juicios distantes a más de un crítico de poca malicia, es un juego, a lo Mallarmé, de sugestión y fantasía. Los versos que van a continuación elevan a la idealidad y alivian del peso a las miserias morales. Después vendrá un paternal recuerdo, un himno al encanto misterioso femenino, un loor al Gran Manco, un madrigal ocasional, un canto a la siempre para mí atrayente Thalassa, una meditación filosófica, seguida de otras; una silueta bíblica; alegorías y símbolos. Un soneto hay que tiene una dolorosa historia: «Melancolía.» Está dedicado a un pobre pintor venezolano que tenía el apellido del Libertador. Era un hombre doloroso, poseído de su arte, pero mayormente de su desesperanza.

Le conocí en París; fuimos íntimos; me mostró las heridas de su alma. Yo procuré alentarle. Pasado un corto tiempo, partió para los Estados Unidos. Yo no tardé en saber que en Nueva York, en el límite de sus amarguras, se había suicidado.

«Aleluya» exalta el don de la alegría en el Universo y en el amor humano. «De otoño» explica la diferencia entre los mayos y diciembres espirituales; en el poema «A Goya» me inclino ante el poder de aquel genial príncipe de luces y tinieblas; en «Caracol», junto al misterio natural, mi incógnito misterio; en «Amo, amas», pongo el secreto del vivir en el sacro incendio universal amoroso; en el «Soneto autumnal al marqués de Bradomín», al celebrar a un gran ingenio de las Españas, exalto la aristocracia del pensamiento; en otro «Nocturno» digo los sufrimientos de los invencibles insomnios, cuando el ánimo tiembla y escucha; en «Urna votiva» cumplo con la amistad; en «Programa matinal» se expone un epicureísmo todo poético; en «Ibis» señalo el peligro de las ponzoñosas relaciones; en «Thanatos» me estremezco ante lo inevitable; «Ofrenda» es una ligera y rítmica galantería banvillesca; en «Propósito primaveral», de nuevo se presenta una copa llena de vino de las ánforas de Epicuro.

La «Letanía de Nuestro Señor Don Quijote» afirma otra vez mi arraigado idealismo, mi pasión por lo elevado y heroico. La figura del caballero simbólico está coronada de luz y de tristeza. En el poema se intenta la sonrisa del «humour» —como un recuerdo de la portentosa creación cervantina—; mas tras el sonreír está el rostro de la humana tortura ante las realidades que no tocan la complexión y el pellejo de Sancho. En «Allá lejos» hay un rememorar de paisajes tropicales, un recuerdo de la ardiente tierra natal, y en «Lo fatal», contra mi arraigada religiosidad, y a pesar mío, se levanta como una sombra temerosa un fantasma de desolación y de duda.

Ciertamente, en mí existe, desde los comienzos de mi vida, la profunda preocupación del fin de la existencia, el terror a lo ignorado, el pavor de la tumba, o, más bien, del instante en que cesa el corazón su ininterrumpida tarea y la vida desaparece de nuestro cuerpo. En mi desolación, me he lanzado a Dios como a un refugio; me he asido de la plegaria como de un paracaídas. Me he llenado de congoja cuando he examinado el fondo de mis creencias y no he encontrado suficientemente maciza y fundamentada mi fe; cuando el conflicto de las ideas me ha hecho vacilar, y me he sentido sin un constante y seguro apoyo.

Todas las filosofías me han parecido impotentes; y algunas, abominables y obra de locos y malhechores. En cambio, desde Marco Aurelio [63] hasta Bergson [64], he saludado con gratitud a los que dan alas, tranquilidad, vuelos apacibles, y enseñan a comprender de la mejor manera posible el enigma de nuestra estancia sobre la tierra.

Y el mérito principal de mi obra, si alguno tiene, es

---

[63] *Marco Aurelio* (121-180): emperador romano y filósofo estoico.
[64] *Henri Bergson* (1859-1941): filósofo francés.

el de una gran sinceridad, el de haber puesto «mi corazón al desnudo», el de haber abierto de par en par las puertas y ventanas de mi castillo interior para enseñar a mis hermanos el habitáculo de mis más íntimas ideas y de mis más caros ensueños.

He sabido lo que son las crueldades y locuras de los hombres. He sido traicionado, pagado con ingratitudes, calumniado, desconocido en mis mejores intenciones por prójimos mal inspirados; atacado, vilipendiado. Y he sonreído con tristeza. Después de todo, todo es nada, la gloria comprendida. Si es cierto que «el busto sobrevive a la ciudad», no es menos cierto que lo infinito del tiempo y del espacio, el busto como la ciudad, y ¡ay!, el planeta mismo, habrán de desaparecer ante la mirada de la única Eternidad.

Artículos
y
Autobiografía

Semana Santa

Sevilla robosa de forasteros; Toledo, lo propio; a Murcia van los trenes llenos de viajantes. No faltan en las estaciones los indispensables ingleses provistos de sus minúsculas «detectives» [1]. Es en las provincias en donde la santa semana atrae a los turistas. Madrid es religiosamente incoloro, y lo que hace notar que se pasa por estos días de fiestas cristianas, es que desde ayer, por decreto del alcalde —un descendiente del ilustre Jacques de Liniers [2]—, no circulan durante el día vehículos por la capital. Las campanas no suenan, reemplazadas litúrgicamente por las matracas, y jueves y viernes estas mujeres amorosas en la devoción, recorren las calles cubiertas con sus famosas mantillas. En medio de la multitud, algo he advertido de una vaga y dolorosa tristeza. Se escucha que viene a lo lejos una suave música llena de melancolía; despacio, despacio. Luego se va acercando y se oye una canción, seis voces: dos femeninas, dos de hombre, dos infantiles. El coro pasa, se diría que se desliza ante vuestros ojos y a vuestros oídos. Son ciegos que van cantan-

---

[1] «detectives»: pequeñas cámaras fotográficas.
[2] *Jacques de Liniers* (1753-1810): marino y político español de origen francés, de heroico comportamiento en numerosas campañas de su época. Fue virrey en Buenos Aires en 1807 y en 1810; junto con el gobernador Gutiérrez de la Concha y el coronel Allende intentó oponerse a los revolucionarios, pero fue hecho prisionero y condenado a muerte.

do canciones, pidiendo limosna. Se acompañan con violines, guitarras y bandolinas. Con sus ojos sin día miran hacia el cielo, en busca de lo que preguntaba Baudelaire. Lo que cantan es uno de esos motivos brotados del corazón popular, que dicen, en su corta y sencilla notación, cosas que nos pasan sobre el alma como misteriosas brisas que hemos sentido no sabemos en qué momento de una vida anterior. Se diría que esos ciegos han aprendido su música en monasterios, pues traen sus voces algo como piadosa resonancia claustral. La concurrencia que va al paseo no para mientes. Por los balcones asoman unas cuantas caras curiosas. De lo más alto de una casa, de una pobre buhardilla, cae para los ciegos una moneda de cobre.

En las iglesias se ostentan las pompas sagradas. Los caballeros de las diversas Órdenes [3] asisten a las ceremonias. La indumentaria resucita por instantes épocas enterradas. Mas ayer se cumplió con una antigua usanza en la mansión real que, con toda verdad, más que ninguna otra manifestación, ha podido llevar los espíritus hacia atrás, en lo dilatado del tiempo. Me refiero al acto de lavar los pies a los pobres y reunirles a la mesa, la reina de España. Esta costumbre arranca de siglos: instituyóla Fernando III de Castilla en 1242.

Desde muy temprano el patio de palacio se fue llenando de gente. Visto desde lo alto era una aglomeración oleante de mantillas, sombreros de copa, oros y colores de uniformes. Suena un son de pífanos. Es el desfile pintoresco de las alabardas. Mediodía. Compases de un himno por una banda de palacio, y la familia real se presenta en marcha hacia la capilla. Por un momento desaparece el rumor de la vida actual. Esa aparición nos hace pensar en un mundo distinto, en apariencias encantadoras que a las alturas de esta época ruda para la poesía de la existencia, tan solamente surgen a nuestra contemplación en el teatro o en el libro. He aquí que esta

_____

[3] *Órdenes:* referencia a las cuatro órdenes militares españolas: Alcántara, Calatrava, Montesa y Santiago.

buena archiduquesa que sostiene hoy la diadema de Su Majestad Católica, brota de un cuadro, sale de una página de vieja historia, se desprende de un cuento; toda blanca, real, tristemente majestuosa, pues no alcanza a ocultar que su alma no es un lago tranquilo. De sus espaldas se extiende el gran manto; la larga cola pórtala un hidalgo, el mayordomo [4] marqués de Villamayor. El continente impone, el gesto habla por la raza. Por corona lleva María Cristina una constelación de brillantes, y sutil como una onda de espuma, la mantilla blanca le cubre el casco de la cabellera. La princesita de Asturias, que ya viste de largo, va toda ella hecha una rosa, rociada de perlas. Hay en esa joven una distinción graciosa que seduce en medio de la corte y que no advertís en los retratos expuestos en los escaparates de los fotógrafos y que dan la figura un tanto picante de una modistilla. La infanta Isabel —muy simpática para todos los madrileños, y absolutamente Borbón— va de un amarillo triunfante, y sobre la magnificencia de su manto heliotropo resplandecen las joyas. El altar arde en luces y oros. Los príncipes y los cortesanos parecen orar, con unción y fe. Calvas ebúrneas, barbas blancas sobre estrellas de oro y de piedras preciosas, galones y entorchados, se inclinan al movimiento de los oficios. Serenamente armoniosa, la música de la capilla despierta a Mozart. Como un incienso se esparce por los ámbitos, envuelve todos los espíritus, así entre tantos se erijan los incrédulos, la *Primera Sinfonía.*

En el Salón de las Columnas el gran crucifijo central está envuelto en un lienzo violeta, en el altar, que se destaca sobre un tapiz de asunto religioso. En las tribunas, con los ministros, entre el Cuerpo diplomático y los Grandes de España, están la infanta Isabel y la duquesa de Calabria y la princesa de Asturias.

En los lados del salón, sentados en bancos negros, hay doce mujeres pobres y trece hombres pobres. No sé qué vaga luz brota de esas humildes almas en las miradas.

[4] *mayordomo:* en las cofradías o congregaciones religiosas persona encargada de los gastos y organización de las funciones.

Suenan las dos palmadas de costumbre; es que se acerca la reina con su séquito. La reina viene a paso augusto, entre el obispo y el nuncio. Precédela un grupo de religiosos y cantores, y una cruz alta. *Ante diem festum Paschoe...* [5] resuena la voz del subdiácono; la música, el canto vuela sobre el recinto. De pronto, María Cristina está ya ciñéndose una toalla, mientras las duquesas, llenas de diamantes, las condesas fastuosas descalzan a los convidados miserables. La reina, con una esponja y con la toalla, enjuga los lamentables pies de esas gentes, que en un halo de inexplicable asombro deben sufrir extraña angustia. El representante del papa vierte el agua de un ánfora. Os aseguro que por todo pecho presente pasa una conmoción. Y en ese mismo instante dos voces hablaban al oído del observador meditabundo. La una era la del demonio de la calle, el demonio de la murmuración que se cuela por los misterios de las casas y se propaga en la frase afilada por la inevitable malignidad humana. Esa voz hablaba a la oreja izquierda y decía: «Es hermoso, es de un simbolismo grandioso y conmovedor ese acto de humildad que recuerda a las Isabeles de Hungría [6], que nos aleja del ambiente contemporáneo asfixiante de egoísmo, quemante de odio y de mentira; pero... ¿y la miseria? ¿Y los innumerables mendigos que andan por la Corte y por toda España crujiendo de hambre? ¿Y los martirios de Montjuich? [7] ¿Y el anarquismo, flor de los parias? ¿Y la prostitución infantil instalada a los ojos de la capital de S. M. Católica?» Y continuaba: «Por ahí se dice que la 'austríaca' [8] es avara; que manda arreglar el calzado y los vestidos usados de las infantitas; que hace pagar su 'pupilaje' en palacio a la infanta Isabel;

---

[5] *Ante... Paschoes:* el día antes del domingo de Pascua.

[6] *Isabeles de Hungría:* mujeres semejantes a la reina Isabel de Hungría, famosa por sus obras de caridad y canonizada por la Iglesia.

[7] *martirios de Montjuich:* referencia a las torturas a que fueron sometidos en el castillo de Montjuich de Barcelona los presos políticos, al final del siglo XIX.

[8] *«austríaca»*: la reina María Cristina de Habsburgo, viuda de Alfonso XII.

que su caridad no se demuestra espléndida en demasía; que en Londres está acaparando millones; que la duquesa de Cánovas, a quien ella antes llamara 'la reina de la Guindalera'[9], la gratifica justamente con el apodo de 'la institutriz...'»[10] Mas la voz que hablaba a la oreja derecha decía: «No, no hay que proclamar la injusticia o la mala visión como una ley de verdad. Esa noble señora está en una altura que hay que apreciar de lejos; y poco harán en su contra las murmuraciones áulicas[11], los despechos palaciegos. Su misión maternal es admirable, y las tempestades que han pasado por la corona de torres de la Patria la han visto siempre digna y ejemplar, sosteniendo la infancia endeble de su hijo, dolorida por las penas nacionales, triste en su viudez hasta hoy libre de calumnia. Ciertamente no es una Isabel II, por ninguna clase de generosidad. No derrocha, pero sostiene asilos, da justas y silenciosas limosnas. Es una reina buena.»

Y hela allí, en el salón de armas, sirviendo a los mismos pobres a la mesa. Le ayudan varios señores en su tarea. Esos garçons[12] de semejante comedor se llaman el marqués de Ayerbe, el duque de Sotomayor, el duque de Granada de Egea, el conde de Revillagigedo, el marqués de Comillas, el conde de Atarés, el marqués de Santa Cristina, el marqués de Velayos. Todos pudieran entrar en un parlamento huguesco; todos se cubren ante el rey, todos tienen a la cintura la llave de oro[13]. Así, las damas que descalzaron a los miserables eran una condesa de Sástago, una duquesa de Medina Sidonia, una marquesa de Molíns, una de Sanfelices. Desde lo alto, en el soberbio techo —*Giaquinto pinxit*[14]—, todo un revuelto

[9] *Guindalera:* entonces un suburbio de Madrid.

[10] *«la institutriz»*: así llamaban a la reina María Cristina los maldicientes, porque según decían parecía una mujer de esta profesión.

[11] *áulicas:* de la corte regia.

[12] *garçons:* camareros.

[13] *todos... oro:* los Grandes de España tienen el derecho de permanecer cubiertos en la presencia del rey; la llave de oro es el símbolo llevado por ciertos aristócratas que sirven al rey.

[14] *Giaquinto pinxit:* lo pintó Giaquinto, pintor italiano (1703-

Olimpo, de un paganismo rococó, se debatía, en vibrantes fugas de colores sobre las magnifiicencias católicas.

Ésta ha sido para mí más que la procesión mediocre, o las celebraciones eclesiásticas en los templos, la verdadera nota principal de la semana santa en la corte española. Pues si hoy la reina, en el ceremonial del viernes santo en la capilla real, ha hecho cambiar por cintas blancas las cintas negras de los procesos, al indultar a los reos de muerte, después de besar el *lignum crucis* [15], ayer ha estado en un acto antiguo más cerca de Jesucristo.

¿España es verdaderamente religiosa? Creo que, en el fondo, no. Cuenta Georges Lainé que preguntó a un sacerdote gaditano: «¿Hay una corriente de opinión republicana muy marcada en el bajo pueblo de Cádiz?» El sacerdote le contestó: «Todos los obreros de Cádiz son republicanos, anticatólicos, y, un gran número, anarquistas.» Puede también asegurarse que la mayoría de los obreros de toda España es poco religiosa, influida por corrientes liberales primero y luego por la cuestión social. En Barcelona, principalmente, el viento nuevo ha desarraigado mucho árbol viejo. En Andalucía, en Castilla, buena parte del clero ha contribuido, con su poco cuidado de los asuntos espirituales, a debilitar las creencias. El alto clero español cuenta con cabezas eminentes, con sabios y con varones virtuosos; pero en las regiones inferiores no es un mirlo blanco el sacerdote de sotana alegre, amigo de juergas, de guitarras y mostos. La navaja no es tampoco, en ciertos ejemplares, desconocida. El sacerdote sanguinario y cruel no ha sido escaso en las guerras carlistas. En cuanto a moralidad, es éste el país en donde el «ama del cura» y las «sobrinas del cura» son tipos de comedia y cantar. Ello no quiere decir que, como en toda viña humana y en la del Señor, no haya casos de corrección y de virtud evangélicas. El cura de aldea de aquel ho-

---

c. 1765). En Madrid fue nombrado pintor de cámara y director de la Academia de San Fernando.

[15] *lignum crucis:* reliquia de la cruz de Cristo.

nesto Pérez Escrich [16] no abunda, pero se puede encontrar en la campiña española. La enseñanza religiosa en la España interior se queda en lo primitivo, en la plática pastoral que precede a la idolatría católica de figuras también primitivas; en las procesiones originalísimas. En la España negra de Verhaeren y Regoyos [17] podéis observer curiosos croquis. En San Juan de Tolosa, por ejemplo, en Guipúzcoa, donde existen esas esculturas bárbaras que hacen decir al escritor: «El rezar cara a cara con estos Nazarenos y Santos debe hacer reír o alucinar.» En efecto, son figuras, *bonshommes* como labrados a hacha, con asimetrías deformes y aires de idiotismo o de malignidad; Cristos de rostros funestos, o como dibujados por James Ensor [18], Cristos *que dan miedo,* bajo sus cabelleras de difuntos, entre los nichos oscuros de los altares. La semana santa en Guipúzcoa; los pasos de Azpeitia con sus siniestras estatuas, son otra cosa que la semana santa de Sevilla, con sus escultural artísticas, sus palios lujosos, sus pasos con imágenes de arte, sus vírgenes vestidas como emperatrices bizantinas: todo oro, terciopelo, hierro, y más oro; y las saetas, esos cantos que brotan en su aguda tristeza, quejidos del pueblo, dolorosas y sonoras alondras de una raza. O la semana santa de Toledo, entre la antigüedad gris y seca de esa petrificación de tiempo. En las fiestas de San Juan Degollado, en la isla de Gaztelugache, cerca del cabo Machichaco, puede verse aún la Edad Media, con la devoción idólatra y temerosa, los romeros y penitentes que suben una cuesta de rodillas, despedazándose sobre la pie-

---

[16] *Enrique Pérez Escrich* (1829-1897): dramaturgo y novelista español especializado en la novela por entregas.

[17] *en la... Regoyos:* Emile de Verhaeren (1655-1916), poeta belga. Darío de Regoyos (1857-1913), pintor español, que acompañó al anterior en un viaje por España e ilustró *España negra,* una de las obras de Verhaeren.

[18] *James Ensor:* pintor y grabador belga nacido en 1860. Uno de los primeros cultivadores de la pintura expresionista. Se inclinó por el cultivo de escenas de carnaval, con máscaras. Su enorme *Entrada de Cristo en Bruselas* (1888) fue juzgada en su ambiente como blasfema.

dra. Los niños van vestidos de negro y violeta. Y los disciplinantes de Rioja, de San Vicente de la Sonsierra: .hombres que se destruyen las espaldas con azotes, a la vista del público, y luego, cuando el lomo está todo amoratado de golpes o hinchado de disciplinazos, se les raya con bolas de cera llenas de vidrios filosos. Regoyos nos cuenta de otros martirios, como el ir tocando una gran campana por las calles, o pasar con los pies descalzos sobre pedruscos y chinas. Allí la sangre humana se vierte en realidad cada jueves santo.

Pero junto a todas esas manifestaciones de religiosidad nefasta y milenaria encontraréis siempre la guitarra, el vino, la hembra. El torero tiene una imagen a la que reza antes de ir a la corrida, a la fiesta de la sangre. Los antiguos peregrinos que iban a Santiago de Compostela con el bordón y la calabaza eran excelentes pillos y bandoleros que hubo que perseguir. En ciertas procesiones andaluzas hay pleitos por si una santa virgen vale más que otra, y al elogiar a la propia imagen se injuria con epítetos del hampa a la santa imagen contraria. Se forman partidos por este o aquel Cristo, por este o aquel santo milagroso. En Galicia pasa lo propio. Un escritor gallego me cuenta que un tío suyo muy devoto, después de sufrir un gran dolor moral, se encerró en su gabinete, y con una filosa faca se puso a dar de puñaladas a un Crucifijo familiar. No es raro que al ir a dejar a la iglesia en los pueblos, a una imagen, los conductores se detengan un rato en la taberna. En 1820 los madrileños saquearon el palacio de la Inquisición; degüello de frailes ha habido que quedará por siempre famoso. España es el país católico por excelencia; pero Rothschild ha sido el amo por intermedio del judío Bauer [19]; y se ha transigi-

---

[19] *el judío Bauer:* la Constitución española de 1876 declaró el catolicismo la religión oficial de España, tolerando la existencia de otras, aunque no permitía manifestaciones externas de su culto. Aquí sugiere Darío que Rothschild, cuyo intermediario en España era · Ignacio Bauer, un banquero judío, influyó sobre el gobierno español para que concediera esas «tolerancias».

do por razones muy humanas con la fundación de templos protestantes.

El fanatismo español, según Buckle [20], se explicaría por las luchas con las invasiones arábigas; pero Ives Guyot [21] hace notar, con justicia, que antes había habido los grandes choques con los visigodos arrianos. La conversión de Recaredo señala un buen punto de partida. De lo más remoto parte la veta religiosa, desde la venida de los primeros cristianos. No hay lugar importante de España que no guarde el recuerdo tradicional o histórico de un santo o de un apóstol cristiano. San Pablo desembarcó en las costas levantinas, y Tarragona pretende que fue el fundador de su iglesia. En Bética fue la conversión del prefecto Filoteo, del magnate Probo y de su hija Xantipa. El mismo apóstol estuvo en Andalucía, en Écija y en otros puntos de la Península. Écija tuvo a San Rufo, obispo nombrado por San Pablo Narbonense; Santiago estuvo en Braga, en donde fue primer obispo. El viaje de la cabeza de Santiago, con los Siete Discípulos, en la *parva navis* [22], es una hermosa perla de tradición narrada en el latín del Cerratense [23]. La cabeza de Santiago destruyó el último templo de Baco: *Liverum novum* [24]; ¡pero ya quedaba el vino! San Pedro envió a otros discípulos. Geroncio quedó en Italia. Pamplona recuerda a Saturnino y Honesto; Marmolejo a Máximo; Guadix a Torcuato; Granada a San Cecilio; Ávila a San Segundo; Tarifa a San Esicio; Andújar a San Eufrasio; Cabra a San Texifonte; Almería a San Indalecio. Zaragoza pretende tener la primera iglesia fundada en España: allí triunfan los mártires y la Pilarica. Toledo tuvo a San Eugenio, en tiempo del papa Clemente. Gerona cuenta con San Nar-

---

[20] *Henry Thomas Buckle* (1821-1862): historiador inglés.

[21] *Ives Guyot* (1843-1928): economista y político francés; diputado y ministro; fue muy conocido en su tiempo.

[22] *parva navis*: pequeño navío.

[23] *El Cerratense*: hagiógrafo y cronista español. Se ignoran las fechas de su nacimiento y de su muerte.

[24] *Liverum novum*: el nuevo Baco (Liber era otro nombre de Baco).

ciso. Por todas partes retoña, si regáis un poco, la raíz cristiana, por tantos motivos; pero la savia pagana de la tierra no está destruida. La latina se explica. Se gusta en las procesiones de la pompa, de los oros lujosos, de la decoración de las imágenes, y con el pretexto de la devoción se da suelta a los nervios y a la sangre, floreciendo de rojo la España Negra. No se abandonan los asuntos de este mundo por los del otro; y la Inquisición misma, en sus orígenes, tuvo más causas políticas que religiosas. El quemadero después agregó ese halago terrible al divertimiento popular; auto de fe o corrida de toros viene a dar lo mismo. En ciertos templos andaluces el catolicismo deja ver a través de sus adornos y símbolos las líneas y arabescos moriscos; en las almas pasa semejante. Cierto es que Mahoma sonríe más que Jesucristo en los ojos sevillanos de bautizadas odaliscas.

País de Carlos V, de Felipe II, de Carlos II *el Hechizado* [25], país de la expulsión de los judíos y de los moros: su fe no llega muy a lo profundo. Creedme: la brava España llevó la cruz al mundo nuevo nuestro, a lejanas tierras, la impuso por la fuerza, de manera koránica [26], pórtala sobre el oro de la corona, sobre la cúpula del palacio real; pero España es como la espada: tiene la cruz unida a la filosa lámina de acero.

---

[25] *Hechizado:* el pueblo español le llamó así porque no podía concebir que el rey fuera un retrasado mental.

[26] *koránica:* del Corán, libro sagrado de los musulmanes, cuyo contenido son revelaciones hechas a Mahoma por Alá. Rubén alude al cristianismo impuesto por la fuerza a la manera de la «Guerra Santa» de los musulmanes.

¡Toros!

Los durazneros [1] alegres se animan de rosa; el Retiro
está todo verde, y con la primavera llegaron los toros. Se
han vuelto a ver en profusión los sombreros cordobeses,
los pantalones ajustados en absurda ostentación calipigia [2],
las faces [3] glabras de las gentes de redondel y chuleo.
El día de la inauguración de las corridas fue un gran día
de fiesta. Pude saludar varias veces por la calle de Alcalá al espíritu de Gautier [4]. Era el mismo ambiente de
los tiempos de Juan Pastor y Antonio Rodríguez [5], las
calesas estacionadas a lo largo de la vía, las mulas em-
pomponadas, los carruajes que pasan llenos de aficionados y las mantillas que decoran tantas encantadoras cabezas. Parece que en el aire fuese la oleada de entusiasmo; todo el mundo no piensa sino en el próximo espectáculo, no se habla de otra cosa; las corbatas de colores
detonan sobre las pecheras; las chaquetas parece que se
multiplicasen; los cascabeles suenan al paso de los vehículos; en los carteles chillones se destaca la figura petulante
del Guerra. ¡El Guerra!...

---

[1] *durazneros:* melocotoneros.
[2] *calipigia:* del griego, *kallos,* belleza y *pygé,* nalgas.
[3] *glabras:* lampiñas.
[4] *espíritu de Gautier:* se refiere al libro de Théophile Gautier,
Voyages en Espagne, en que recoge sus impresiones de las costumbres españolas, incluso corridas de toros.
[5] *Juan Pastor, Antonio Rodríguez:* toreros mencionados por
Gautier en sus libros.

Su nombre es como un toque de clarín, o como una bandera. Su cabeza se eleva sobre las de Castelar, Núñez de Arce o Silvela; es hoy el que triunfa, el amo del fascinado pueblo. ¡El Guerra! Andaluzamente, Salvador Rueda, no hallando otra cosa mejor que decirme de su torero, me clava: «¡Es Mallarmé!» Vamos, pues, a los toros.

«Se ha dicho y repetido por todas partes que el gusto por las corridas de toros se iba perdiendo en España, y que la civilización las haría pronto desaparecer; si la civilización hace eso, tanto peor para ella, pues una corrida de toros es uno de los más bellos espectáculos que el hombre puede imaginar.» ¿Quién ha escrito eso? El gran Théo, el magnífico Gautier, que vino «tras los montes» a ver las fiestas del sol y de la sangre; Barrés [6], después, hallaría la sangre, la voluptuosidad y la muerte. Es explicable la impresión que en aquel hombre que «sabía ver» harían las crueles pompas circenses. No es posible negar que el espectáculo es suntuoso; que tanto color, oros y púrpuras, bajo los oros y púrpuras del cielo, es de un singular atractivo, y que del vasto circo en que operan esos juglares de la muerte, resplandecientes de sedas y metales, se desprenden un aliento romano y una gracia bizantina. Artísticamente, pues los que habéis leído descripciones de una corrida o habéis presenciado ésta, no podéis negar que se trata de algo cuya belleza se impone. La congregación de un pueblo solar a esas celebraciones en que se halaga su instinto y su visión, se justifica, y de ahí el endiosamiento del torero.

Nodier raconte qu'en Espagne... Fácil es imaginarse el entusiasmo de Gautier por esta España que aparecía en el periodo romántico como una península de cuento; la España de los *châteaux,* la España de Hernani [7] y otra España más fantástica si gustáis, y la cual, aun cuando

---

[6] *Maurice Barrés* (1862-1923): escritor francés. Sus obras son aristocratistas y de un nacionalismo exaltado; la obra a que se alude aquí es *Du sang, de la volupté et de la mort.*

[7] *España de Hernani:* Hernani es el protagonista de la obra de Víctor Hugo, *Hernani,* que al estrenarse en París (1830) determinó el triunfo del romanticismo en Francia.

no existiese, era preciso inventar. Ésa venía en la fantasía de Gautier, y los toros vistos por él correspondieron a la mágica· inventiva. En la calle de Alcalá le arrastró, le envolvió el torbellino pintoresco; los calesines, las mulas adornadas, los bizarros jinetes, las tintas violentas calentadas de sol de la tarde, los característicos tipos nacionales. El arte le ase a cada momento, y si un tronco de mulas le trae a la memoria un cuadro de Van der Meulen [8] un episodio torero le recordará más tarde un grabado de Goya. Aquí encuentra la famosa manola [9], que ha de hacerle escribir una no menos famosa canción cuyos ¡alza! ¡hola! se repetirán en lo porvenir a la luz de los *café-concerts*. El detalle le atrae; documenta y hace sonreír la sinceridad con que corrige a sus compatriotas buscadores de «color local»: se debe decir *torero,* no *toreador;* se debe decir *espada,* no *matador.* Ya enmendará luego la plana a Delavigne [10] diciéndole que la espada del Cid se llama tizona y no *tizonade,* para resultar con que hay una estocada en la corrida que se llama *a vuela pies* [11]. ¡Oh!, el español de los franceses daría asunto para curiosas citas, desde Rabelais hasta Maurice Barrès, pasando por Víctor Hugo y Verlaine. Los toros atrajeron la atención del poeta de los *Esmaltes y Camafeos.* Cuando iba a sentarme en mi sitio, en la plaza, «experimenté —dice— un deslumbramiento vertiginoso. Torrentes de luz inundaban el circo, pues el sol es una araña superior que tiene la ventaja de no regar aceite, y el gas mismo no lo vencerá largo tiempo. Un inmenso rumor flotaba como una bruma de ruido sobre la arena. Del lado del sol palpitaban y centelleaban miles de abanicos y sombrillas». «Os aseguro que es ya un admirable *espectáculo,* doce mil espectadores en un teatro tan vasto cuyo plafón sólo Dios puede pintar con el azul espléndido que extrae de

---

[8] *Van der Meulen* (1632-1690): pintor de la escuela flamenca, figuró en la corte de Luis XIV.
[9] *manola:* madrileña de la clase popular, tipo de mucha animación y colorido.
[10] *Ya... Delavigne* (1793-1843): poeta y dramaturgo francés.
[11] *A vuela pies:* volapié.

la urna de la eternidad.» Después serán las peripecias de los juegos, la magnificencia de los trajes y capas; los mismos sangrientos incidentes, caballos desventrados, toros heridos, y el público tempestuoso, un público de excepción cuyo igual no sería posible encontrar sino retrocediendo a los circos de Roma; todo con sol y música y clamor de clarines y banderillas de fuego. Él hace su resumen: «La corrida había sido buena: ocho toros, catorce caballos muertos, un chulo herido ligeramente; no podía desearse nada mejor.» Que por razones de imaginación y sensibilidad artística hombres como Gautier se contagien del gusto por los toros que hay en España, pase; pero es el caso que ese contagio invade a los extranjeros de todo cariz intelectual, y no es raro ver en el tendido a un rubio *commis-voyageur* [12] dando muestras flagrantes del más desbordado contentamiento.

Lo que es en España será imposible que llegue un tiempo en que se desarraigue del pueblo esta violenta afición. Antes y después de Jovellanos [13] ha habido protestantes de la lidia que han roto sus mejores flechas contra el bronce secular de la más inconmovible de las costumbres. En las provincias pasa lo propio que en la capital. Sevilla parece que regase sus matas de claveles con la sangre de esas feroces *soavetaurilias* [14]; allí las fiestas de toros son inseparables del fuego solar, de las mujeres cálidamente amorosas, de la manzanilla, de la alegría furiosa de la tierra; la corrida es una voluptuosidad más, y la opinión de Bloy sobre la parte sensual del espectáculo encontraría su mejor pilar en el goce verdaderamente sádico de ciertas mujeres que presencian la sangrienta fun-

---

[12] *commis-voyageur:* viajante de comercio.

[13] *Gaspar Melchor de Jovellanos* (1744-1811): uno de los más distinguidos escritores de la Ilustración española. Se manifestó en contra de las corridas de toros en su *Memoria de los espectáculos y diversiones públicas.*

[14] *soavetaurilias:* manera un tanto complicada de referirse a las corridas de toros. En la antigua Roma se denominaba así un tipo de ceremonia en que se sacrificaban en honor de Marte un carnero, un cerdo y un toro.

ción. La Sevilla de las estocadas de Mañara[15], de la molicie morisca, de las hembras por que se desleía Gutierre de Cetina[16], de las sangres de Zurbarán, de las carnes femeninas de Murillo, de las gitanillas, de los bandidos generosos, tiene que ser la Sevilla del clásico toreo. Bajo Fernando III ya los mozos de la nobleza tenían su plaza especial para el ejercicio del *sport* preferido. Partos reales o la toma de Zamora[17], se celebraban con toros. El cardenal arzobispo don Rodrigo de Castro prohibió durante un jubileo las corridas. La ciudad luchó con su ilustrísima y venció apoyada por Felipe II. La corrida se da, y en ella

> Veinte lacayos robustos
> con ellos delante salen:
> morado y verde el vestido,
> espadas doradas traen,
> de ser don Nuño y Medina
> dan muestra y claras señales,
> que aunque vienen embozados
> no pueden disimularse.

En tiempos de Felipe IV «toreó a caballo don Juan de Cárdenas, un truán del duque, de excelente humor, con tanta destreza y bizarría, que al toro más furioso dio una muy buena lanzada: Mató Su Majestad tres toros con arcabuz» —dice un revistero de la época—. Felipe V quiso sustituir la corrida por «juegos de cabezas», pero lo francés fue derrotado por lo español. ¡Ayer como hoy los toros *forever!* No ha habido aquí poeta ni millonario que haya sido tan afortunado en favores femeninos como Pepe Hillo. Cierto es que en París y en nuestro tiempo, Mazzantini[18] y Ángel Pastor no han podido quejarse de

---

[15] *Miguel de Mañara:* caballero sevillano del que se dice que ha servido de modelo a algunas versiones literarias de don Juan.

[16] *por... Cetina:* que hizo derretirse de emoción al poeta Amatorio Gutierre de Cetina (1520-1557).

[17] *toma de Zamora:* acontecimiento histórico importante, en 1072.

[18] *Luis Mazzantini* (1856-1926): torero español, que después de retirarse de esta profesión se dedicó a la política.

las damas. En Zaragoza la afición se pretende que viene desde los romanos. Don Juan de Austria fue obsequiado allí con toros. A Felipe V le hicieron ver los aragoneses una corrida, de noche, en Cariñena. Los navarros, entre un son de violín de Sarasate y un *do* pectoral de Gayarre[12], toros, y ello viene de antaño. Soria, con sus fiestas de las Calderas, pues toros. Valencia, florida y armoniosa de colores y cantos, tenía ya toreros en tiempo de Don Alfonso *el Sabio*. Y entre sus célebres aficionados cuenta a un conde de Peralada y Albatera, don Guillén de Rocafull. Y hasta en la España del Norte, en la España gris, aun cuando la Naturaleza proteste, la afición procura su triunfo, y bajo el cielo empañado, en la tierra donostiarra, toros. Salamanca, toros. Toledo, Valladolid, toros. Solamente entre los catalanes no han vencido sino a medias los cuernos.

No obstante, hay apasionados de la lidia que lamentan la decadencia torera; dicen que hoy no existe «el amor al arte», que los espadas son simples negociantes, y los ganaderos, así sean descendientes de Colón[20], dan —como dice Pascual Millán, notable taurógrafo— «toros raquíticos, sin sangre, ni bravura, ni trapío». Los días pasados, en Aranjuez, conocí a un hombre atento y afable que, a través de su conversación con coleta, deja ver cierta cultura y buen afecto a América. Me habló del Río de la Plata y de Chile y de su amigo don Agustín Edwards. Es el célebre Ángel Pastor. Sufre grandemente. En lo mejor de su carrera, todavía fuerte y joven, ha tenido la desgracia de romperse un brazo. Ya no podrá *trabajar;* la mala suerte le ha salido al paso peor que un toro bravo y le ha cogido. Y habla también Pastor de lo malo que hoy anda el toreo, de la decadencia del arte, de lo *clásico* y de lo *moderno,* como hablaría un profesor de Literatura o de Pintura. Pero no le falta el brillante gordo en el dedo y la consideración de todo el mundo. El

---

[19] *Julián Gayarre* (1844-1890): tenor navarro de gran éxito en su tiempo.

[20] *Colón:* los descendientes de Colón, duques de Veragua, eran en tiempos de Rubén Darío famosos ganaderos de toros de lidia.

hotel mejor de Aranjuez es el suyo. Y la tradicional gentileza y obsequiosidad, suyas son también.

Decadentes o no decadentes, los toros seguirán en España. No hay rey ni Gobierno que se atreva a suprimirlos. Carlos III tuvo esa mala ocurrencia y luego se vieron sus efectos. Jovellanos, en su carta a ·Vargas Ponce[21], no tuvo empacho en sostener que la diversión no es propiamente nacional, porque Galicia, León y Asturias han sido muy poco toreras. ¿Qué gloria nos resulta de ella? —exclamaba—. ¿Cuál es, pues, la opinión de Europa en este punto? Con razón o sin ella, ¿no nos llaman bárbaros porque conservamos y sostenemos las fiestas de toros? Negó el valor a los toreros y proclamó su general estupidez fuera de las cosas de la lidia. Sostuvo el daño que ésta producía a la agricultura, pues cuesta más la crianza de un buen toro para la plaza que cincuenta reses útiles para el arado; y a la industria, pues los pueblos que ven toros no son, por cierto, los más laboriosos. En cuanto a las costumbres, el párrafo que dedica a la influencia de los toros en ellas quedaría perfecto al injertarse en un capítulo del *Cristophe Colomb devant les taureaux,* de León Bloy[22]. Hay una muy bien meditada página del cubano Enrique José Varona[23] sobre la psicología del toreo, en que encuentra la base humana del gusto por esas crueles diversiones, en el sedimento de animalidad persistente a través de la evolución de la cultura social. La teoría no es flamante, y antes que sostenida por argumentos científicos, estaba ya incrustada en la sabiduría de las naciones.

Pero si no hay duda de que colectivamente el español es la más clara muestra de regresión a la fiereza primitiva, no hay tampoco duda de que en cada hombre hay algo de español en ese sentido, junto con el instinto de la

---

[21] *Vargas Ponce, José* (1790-1821): erudito y escritor español. Fue director de la Academia de la Historia a partir de 1804.
[22] *León Bloy* (1846-1917): escritor francés. Sus obras aúnan el tono narrativo y el panfletario.
[23] *Enrique José Varona* (1849-1933): escritor y político cubano de ideas positivistas y darwinistas. Colaboró con José Martí.

perversidad, de que nos habla Poe. Y la prueba es el contagio, individual o colectivo; el contagio de un viajero que va a la corrida llevado por la curiosidad en España, o el contagio de un público entero, o de gran parte de ese público, como el de París o Buenos Aires, en donde la diversión se ha importado, corriéndose el riesgo de que, si la curiosidad es atraída primero por el exotismo, venga después la afición con todas sus consecuencias.

En América, no creo que en Buenos Aires, a pesar de lo numeroso de la colonia española y de la sangre española que aún prevalece en parte del elemento nacional, el espectáculo pudiese sustentarse por largo tiempo; pero pasada la cordillera, y en países menos sajonizados que Chile, el caso es distinto. Desde Lima a Guatemala y Méjico queda aún bastante savia peninsular para dar vida a la afición circense.

En cualquier pueblo, dice Varona, sería funesto para la cultura pública espectáculo semejante; entre los españoles y sus descendientes, infinitamente más. Las propensiones todas de su carácter, producto de su raza y de su historia, los inclinan del lado de las pasiones violentas y homicidas. Por lo que a mí toca, diré que el espectáculo me domina y me repugna al propio tiempo; no he podido aún degollar mi cochinillo sentimental.

Puesto que las muchedumbres tienen que divertirse, que manifestar sus alegrías, serían más de mi agrado pueblos congregados en sus días de fiesta, en un doble y noble placer mental y físico, escuchando, a la griega, una declamación, bajo el palio del cielo, desde las gradas de un teatro al aire libre; o la procesión de gentes, hombres, mujeres y niños, que fuesen, en armoniosa libertad, a cantar canciones a las montañas o a las orillas del mar. Pero puesto que no hay eso, y nuestras costumbres tienden cada día a alejarse de la eterna poesía de las cosas y de las almas, que haya siquiera toros, que haya siquiera esas plazas enormes como los circos antiguos, y llenas de mujeres hermosas, de chispas, de reflejos, de voces, de gestos.

Créame el nunca bien ponderado doctor Albarracín, que mis simpatías están de parte de los animales, y que entre el torero y el caballo, mi sensibilidad está de parte del caballo, y entre el toro y el torero, mis aplausos son para el toro.

El valor tiene poca parte en ese juego que se estudia y que lo que más requiere es vista y agilidad. No sería yo quien celebrase el establecimiento de una plaza de toros entre nosotros; pero tampoco batiría palmas el día que España abandonase esos hermosos ejercicios que son una manifestación de su carácter nacional.

No olvidaré la impresión que ha hecho en mí una salida de toros; fue en la corrida última.

El oleaje de la muchedumbre se desbordaba por la calle de Alcalá; cerca de la Cibeles pasaba el incesante desfile de los carruajes; la tarde concluía y el globo de oro del Banco de España reflejaba la gloria del Poniente, en donde el sol, como la cola de un pavo real incandescente, o mejor, como el varillaje de un gigantesco abanico español, rojo y amarillo, tendía la simétrica multiplicidad de sus rayos, unidos en un diamante focal. Los ojos radiosos de las mujeres chispeaban tempestuosamente bajo la gracia de las mantillas; vendedoras jóvenes y primaverales pregonaban nardos y rosas; flotaba en el ambiente un polvo dorado, y en cada cuerpo cantaban la sangre y el deseo, el himno de la nueva estación. Los toreros pasaban en sus carruajes, brillando al fugaz fuego vespertino; una música lejana se oía y en el Prado estallaban las risas de los niños.

Y comprendí el alma de la España que no perece, la España reina de vida, emperatriz del amor, de la alegría y de la crueldad; la España que ha de tener siempre conquistadores y poetas, pintores y toreros.

¡Castillos en España! dicen los franceses. Cierto: castillos en la tierra y en el aire, llenos de leyenda, de historia, de música, de perfume, de bizarría, de color, de oro, de sangre, de hierro, para que Hugo venga y encuentre en ellos todo lo que le haga falta para labrar una montaña de poesía; castillos en que vive Carmen y se hospeda Esmeralda [24], y en donde los Gautier, los Musset y los artistas todos de la tierra pueden abrevarse de los más embriagadores vinos de arte. Y en cuanto a vos, don Alonso Quijano *el Bueno,* ya sabéis que siempre estaré de vuestro lado.

---

[24] *Carmen, Esmeralda:* heroínas románticas de las novelas de Merimée y Víctor Hugo, *Carmen* y *Nuestra Señora de París.*

Autobiografía

2

Mi primer recuerdo —debo haber sido a la sazón muy niño, pues se me cargaba a horcajadas, en los cuadriles [1], como se usa por aquellas tierras— es el de un país montañoso: un villorrio llamado San Marcos de Colón, en tierras de Honduras, por la frontera nicaragüense; una señora delgada, de vivos y brillantes ojos negros— ¿negros?..., no lo puedo afirmar seguramente..., mas así los veo ahora en mi vago y como ensoñado recuerdo—, blanca, de tupidos cabellos oscuros, alerta, risueña, bella. Ésa era mi madre. La acompañaba una criada india, y le enviaba de su quinta legumbres y frutas un viejo compadre gordo, que era nombrado «el compadre Guillén». La casa era primitiva, pobre, sin ladrillos, en pleno campo. Un día yo me perdí. Se me buscó por todas partes; hasta el compadre Guillén montó en su mula. Se me encontró, por fin, lejos de la casa, tras unos matorrales, debajo de las ubres de una vaca, entre mucho ganado que mascaba el jugo del yogol, fruto mucilaginoso y pegajoso que da una palmera y del cual se saca aceite en molinos de piedra como los de España. Dan a las vacas el fruto, cuyo hueso dejan limpio y seco, y así producen leche que se distingue por su exquisito sabor. Se me sacó de mi bu-

---

[1] *en los cuadriles:* sobre las caderas.

cólico refugio, se me dio unas cuantas nalgadas, y aquí mi recuerdo de esa edad desaparece como una vista de cinematógrafo.

Mi segundo recuerdo de edad verdaderamente infantil es el de unos fuegos artificiales en la plaza de la iglesia del Calvario, en León. Me cargaba en sus brazos una fiel y excelente mulata, la Serapia. Yo estaba ya en poder de mi tía abuela materna, doña Bernarda Sarmiento de Ramírez, cuyo marido había ido a buscarme a Honduras. Era él un militar bravo y patriota, de los unionistas de Centroamérica, con el famoso caudillo general Máximo Jerez, de quien habla en sus *Memorias* el filibustero yanqui William Walker. Le recuerdo: hombre alto, buen jinete, algo moreno, de barbas muy negras. Le llamaban «el bocón», seguramente por su gran boca. Por él aprendí, pocos años más tarde, a andar a caballo, conocí el hielo, los cuentos pintados para niños, las manzanas de California y el champaña de Francia. Dios le haya dado un buen sitio en alguno de sus paraísos. Yo me criaba como hijo del coronel Ramírez y de su esposa doña Bernarda. Cuando tuve uso de razón, no sabía otra cosa. La imagen de mi madre se había borrado por completo de mi memoria. En mis libros de primeras letras, algunos de los cuales he podido encontrar en mi último viaje a Nicaragua, se leía la conocida inscripción:

Si este libro se perdiese,
como suele suceder,
suplico al que me lo hallase
me lo sepa devolver.
Y si no sabe mi nombre,
aquí se lo voy a poner:

Félix Rubén Ramírez

El coronel se llamaba Félix y me dieron su nombre en el bautismo. Fue mi padrino el citado general Jerez, célebre como hombre político y militar, que murió de ministro en Wáshington y cuya estatua se encuentra en el parque de León.

Fui algo niño prodigio. A los tres años sabía leer, según se me ha contado. El coronel Ramírez murió y mi educación quedó únicamente a cargo de mi tía abuela. Fue mermando el bienestar de la viuda y llegó la escasez, si no la pobreza. La casa era una vieja construcción, a la manera colonial: cuartos seguidos, un largo corredor, un patio con su pozo, árboles. Rememoro un gran «jícaro», bajo cuyas ramas leía, y un granado que aún existe, y otro árbol que da unas flores de un perfume que yo llamaría oriental si no fuese de aquel pródigo trópico y que se llaman «mapolas».

La casa era para mí temerosa por las noches. Anidaban lechuzas en los aleros. Me contaban cuentos de ánimas en pena y aparecidos los dos únicos sirvientes: la Serapia y el indio Goyo. Vivía aún la madre de mi tía abuela, una anciana, toda blanca por los años y atacada de un temblor continuo. Ella también me infundía miedos: me hablaba de un fraile sin cabeza, de una mano peluda, que perseguía. como una araña... Se me mostraba, no lejos de mi casa, la ventana por donde a la Juana Catina, mujer muy pecadora y loca de su cuerpo, se la habían llevado los demonios. Una noche, la mujer gritó desusadamente: los vecinos se asomaron atemorizados, y alcanzaron a ver a la Juana Catina, por el aire, llevada por los diablos, que hacían un gran ruido y dejaban un hedor a azufre.

Oía contar la aparición del difunto obispo García al obispo Viteri. Se trataba de un documento perdido en un ya antiguo proceso de la curia. Una noche, el obispo Viteri hizo despertar a sus pajes, se dirigió a la catedral, hizo abrir la sala del capítulo [2], se encerró en ella, dejó fuera a sus familiares; pero éstos vieron, por el ojo de la llave, que sus ilustrísima estaba en conversación con su finado antecesor. Cuando salió «mandó tocar vacantes», todos creían en la ciudad que hubiese fallecido. La sorpresa que hubo al otro día fue que el documento perdido se había encontrado. Y así se me nutría el espíritu

---

[2] *sala del capítulo:* el lugar donde se reúnen los canónigos y prebendados.

con otras cuantas tradiciones y consejas y sucedidos semejantes. De allí mi horror a las tinieblas nocturnas y el tormento de ciertas pesadillas inenarrables.

Quedaba mi casa cerca de la iglesia de San Francisco, donde había existido un antiguo convento. Allí iba mi tía abuela a misa primera, cuando apenas aparecía el primer resplandor del alba, al canto de los gallos. Cuando en el barrio había un moribundo tocaban en las campanas de esa iglesia el pausado toque de agonía, que llenaba mi pueril alma de terrores.

Los domingos llegaban a casa a jugar al fusilico [3] viejos amigos, entre ellos un platero y un cura. Pasaba el tiempo. Yo crecía. Por las noches había tertulia en la puerta de la calle, una calle mal empedrada de redondos y puntiagudos cantos. Llegaban hombres de política y se hablaba de revoluciones. La señora me acariciaba en su regazo. La conversación y la noche cerraban mis párpados. Pasaba el «vendedor de arena...» [4] Me iba deslizando. Quedaba dormido, sobre el ruedo de la maternal falda, como un gozquejo [5]. En esa época aparecieron en mí fenómenos posiblemente congestivos. Cuando se me había llevado a la cama, despertaba, y volvía a dormirme. Alrededor del lecho mil círculos coloreados y concéntricos, kaleidoscópicos, enlazados y con movimientos centrífugos y centrípetos, como los que forma la linterna mágica, creaban una visión extraña y para mí dolorosa. El central punto rojo se hundía hasta incalculables hípnicas distancias y volvía a acercarse, y su ir y venir era para mí como un martirio inexplicable. Hasta que, de repente, desaparecía la decoración de colores, se hundía el punto rojo y se apagaba, al ruido de una seca y para mí saludable explosión. Sentía una gran calma, un gran

---

[3] *el fusilico:* un juego de cartas hondureño. Se juega entre cuatro si las cartas se ponen boca abajo y entre seis cuando se ponen boca arriba.

[4] *«vendedor de arena»:* en España, Fernandito, que hace dormir a los niños echándoles arena a los ojos.

[5] *gozquejo:* diminutivo de gozque, perro pequeño.

alivio; el sueño seguía tranquilo. Por las mañanas, mi almohada estaba llena de sangre, de una copiosa hemorragia nasal.

3

Se me hacía ir a una escuela pública. Aun vive el buen maestro, que era entonces bastante joven, con fama de poeta: el licenciado Felipe Ibarra. Usaba, naturalmente, conforme con la pedagogía singular de entonces, la palmeta, y en casos especiales, la flagelación en las desnudas posaderas. Allí se enseñaba la cartilla, el Catón cristiano [6], las «cuatro reglas», otras primarias nociones. Después tuve otro maestro, que me inculcaba vagas nociones de aritmética, geografía, cosas de gramática, religión. Pero quien primeramente me enseñó el alfabeto, mi primer maestro, fue una mujer: doña Jacoba Tellería, quien estimulaba mi aplicación con sabrosos pestiños, bizcotelas y alfajores que ella misma hacía, con muy buen gusto de golosinas y con manos de monja. La maestra no me castigó sino una vez, en que me encontrara, ¡a esa edad, Dios mío!, en compañía de una precoz chicuela, iniciando indoctos e imposibles Dafnis y Cloe [7], y según el verso de Góngora, «las bellaquerías [8] detrás de la puerta».

32

Yo soñaba con París desde niño, a punto de que, cuando hacía mis oraciones, rogaba a Dios que no me dejase morir sin conocer París. París era para mí como un paraíso en donde se respirase la esencia de la felicidad sobre la tierra. Era la ciudad del Arte, de la Belleza y de

[6] *Catón cristiano:* pequeño libro religioso con ejercicios de lectura.
[7] *Dafnis y Cloe:* amantes de un viejo cuento pastoril atribuido al Longus (cuarto o quinto siglo antes de Cristo).
[8] *bellaquerías:* jueguecillos eróticos.

la Gloria; y, sobre todo, era la capital del Amor, el reino del Ensueño. E iba yo a conocer París, a realizar la mayor ansia de mi vida. Y cuando en la estación de Saint-Lazare pisé tierra parisiense, creí hollar suelo sagrado. Me hospedé en un hotel español, que por cierto ya no existe. Se hallaba situado cerca de la Bolsa, y se llamaba pomposamente Grand Hotel de la Bourse et des Ambassadeurs... Yo deposité en la caja, desde mi llegada, unos cuantos largos y prometedores rollos de brillantes y áureas águilas americanas de veinte dólares. Desde el día siguiente tenía carruaje a todas horas en la puerta, y comencé mi conquista de París...

Apenas hablaba una que otra palabra de francés. Fui a buscar a Enrique Gómez Carrillo [9], que trabajaba entonces empleado en la casa del librero Garnier.

Carrillo, muy contento de mi llegada, apenas pudo acompañarme por sus ocupaciones; pero me presentó a un español que tenía el tipo de un gallardo mozo, al mismo tiempo que muy marcada semejanza de rostro con Alfonso Daudet. Llevaba en París la vida del país de Bohemia, y tenía por querida a una verdadera marquesa de España. Era escritor de gran talento y vivía siempre en su sueño. Como yo, usaba y abusaba de los alcoholes; y fue mi iniciador en las correrías nocturnas del barrio Latino. Era mi pobre amigo, muerto no hace mucho tiempo, Alejandro Sawa [10]. Algunas veces me acompañaba también Carrillo, y con uno y otro conocí a poetas y escritores de París, a quienes había amado desde lejos.

Uno de mis grandes deseos era poder hablar con Verlaine. Cierta noche, en el café D'Harcourt, encontramos al Fauno, rodeado de equívocos acólitos.

Estaba igual al simulacro en que ha perpetuado su fi-

---

[9] *Enrique Gómez Carrillo* (1873-1927): escritor guatemalteco, muy influenciado por la cultura francesa. Sus crónicas le hicieron famoso.

[10] *Alejandro Sawa* (1862-1909): modernista español que pasó parte de su vida en París y fue «negro» de Rubén Darío en algunas ocasiones. Valle-Inclán se basó en él para el personaje de Max Estrella en *Luces de Bohemia*.

gura el arte maravilloso de Carrière[11]. Se conocía que había bebido harto. Respondía, de cuando en cuando, a las preguntas que le hacían sus acompañantes, golpeando intermitentemente el mármol de la mesa. Nos acercamos con Sawa, me presentó: «Poeta americano, admirador, etcétera.» Yo murmuré en mal francés toda la devoción que me fue posible y conclui con la palabra gloria... Quién sabe qué habría pasado esta tarde al desventurado maestro; el caso es que, volviéndose a mí, y sin cesar de golpear la mesa, me dijo en voz baja y pectoral: *«La gloire!... La glorie!... M... M... encore!...»* Creí prudente retirarme y esperar para verle de nuevo en una ocasión más propicia. Esto no lo pude lograr nunca, porque las noches que volví a encontrarle se hallaba más o menos en el mismo estado; y aquello, en verdad, era triste, doloroso, grotesco y trágico. ¡Pobre *Pauvre Lelian! Priez pour le pauvre Gaspard!...*[12]

---

[11] *Eugène Carrière* (1849-1906): pintor y litógrafo francés, autor del retrato de Verlaine reproducido en el volumen de éste, *Choix de Poésies*.

[12] *Priez... Gaspardi:* Rogad por el pobre Gaspar.